LA DETTE DE JEU

Paul L. Jacob

Copyright pour le texte et la couverture © 2023 Culturea
Edition : Culturea (culurea.fr), 34 Hérault
Contact : infos@culturea.fr
Impression : BOD, Norderstedt (Allemagne)
ISBN :9791041836086
Date de publication : juillet 2023
Mise en page et maquettage : https://reedsy.com/
Cet ouvrage a été composé avec la police Bauer Bodoni
Tous droits réservés pour tous pays.

LA DETTE DE JEU

I

Une vingtaine de gentilshommes et de capitaines catholiques étaient réunis, à Paris, dans la maison d'un des leurs, le sire de Losse, capitaine des *harquebouziers* du roi, le soir du samedi 23 août 1572, de la fête de Saint-Barthélemy.

Cette réunion n'avait aucun caractère de complot ni de parti: on soupait; on devait jouer après le souper.

Cependant les derniers événements et ceux qui se préparaient encore, ne pouvaient manquer de donner au souper une physionomie particulière, et de mêler aux entretiens quelques-unes des questions politiques qu'on agitait, à l'heure même, dans le conseil de Catherine de Médicis et de Charles IX.

La reine mère, prévoyant depuis plusieurs mois une nouvelle levée de boucliers de la part des réformés, et voulant épargner au royaume de son fils les déchirements d'une *quatrième* guerre civile, avait formé le projet atroce d'envelopper dans un massacre général les principaux chefs du protestantisme.

Son second fils, le duc d'Anjou, qui depuis fut roi de France et qui était alors lieutenant du royaume, se trouva le premier initié à ce projet de massacre que les Guise avaient fomenté sourdement, sans oser le réclamer comme une nécessité d'État.

Le comte de Retz, le comte de Saulx-Tavannes et le duc de Nevers, ces trois confidents favoris de Catherine, reçurent les inspirations perfides des ducs de Guise et d'Aumale, et firent remonter jusqu'à la cour de Rome la responsabilité de cette trahison sanguinaire.

Charles IX, dont l'esprit faible, vacillant, impressionnable et mobile, ne savait ni dissimuler, ni persévérer longtemps, ignora tout ce qu'on tramait autour de lui et servit d'instrument aveugle aux mystérieuses machinations de sa mère et des Guise.

Le mariage de Marguerite, sœur du roi, avec Henri de Bourbon, roi de Navarre, mariage qui semblait sceller la réconciliation des catholiques et des protestants, fut le moyen imaginé pour mettre un bandeau sur les yeux des victimes qu'on n'eût pas osé frapper en face.

Quoique le contrat eût été signé au mois d'avril, les noces n'eurent lieu que le 18 août, à cause de la mort de la reine de Navarre, Jeanne d'Albret, qu'une maladie subite avait emportée avec la rapidité et les apparences d'un empoisonnement.

Ces noces furent célébrées à Paris, en présence de la noblesse protestante qui avait été invitée aux fêtes magnifiques que le roi et la ville offrirent d'intelligence aux nouveaux époux.

Chaque gentilhomme de la religion réformée avait tenu à honneur de paraître à la cour dans une circonstance si glorieuse pour le parti protestant et de si bon augure pour l'avenir, car l'alliance d'une princesse catholique de la maison royale de Valois avec un prince calviniste de la maison de Bourbon était comme une triomphante image de l'union des deux religions jusqu'alors ennemies implacables, même à l'ombre des édits de pacification.

Toutes les provinces de France se voyaient donc représentées par leur meilleure noblesse que les lettres missives du roi et les avis officieux des chefs *de la religion*, le roi de Navarre, le prince de Condé et l'amiral de Coligny, avaient convoquée: plus de quatre mille protestants, ceux surtout qui étaient le plus attachés à la cause et qui l'avaient soutenue les armes à la main, se trouvaient alors à Paris; les catholiques s'y trouvaient aussi en bien plus grand nombre.

Les trois jours qui suivirent la cérémonie nuptiale mi-partie protestante et catholique furent remplis par des festins, des concerts, des tournois et des bals somptueux.

Les lices étaient dressées dans le préau de l'hôtel du Petit-Bourbon, près du Louvre et les principaux seigneurs des deux partis combattirent courtoisement à l'épée et à la lance, à pied et à cheval, dans les intermèdes d'un divertissement allégorique, qui n'avait pas été composé sans intention.

On y voyait le paradis défendu par le roi et ses frères, les ducs d'Anjou et d'Alençon, et assiégé par le roi de Navarre et le prince de Condé, représentant les esprits des ténèbres: le spectacle se terminait par la destruction de l'enfer qui s'abîmait au milieu des flammes.

Le choix de ce divertissement donna beaucoup à penser aux esprits sérieux et défiants; les autres ne s'en préoccupèrent pas et ne songèrent qu'à se divertir.

Le soir, le Louvre retentissait du son des instruments et du bruit joyeux des danses qui se prolongeaient bien avant dans la nuit.

Il en était de même par toute la ville, où l'on oubliait les vieilles querelles de religion, pour manger et boire ensemble, pour sceller à table un pacte de confiance et d'amitié.

On pouvait croire, à de pareils indices, que la paix en France était rétablie, solide et durable: la messe et le prêche avaient l'air de s'accorder et de vivre en bonne intelligence.

Tout changea le 22 août, lorsque Maurevert, embusqué dans une maison du cloître de Saint-Germain-l'Auxerrois, eut tiré par la fenêtre un coup d'arquebuse contre l'amiral de Coligny qui fut blessé au bras et à la main.

Un cri d'indignation s'éleva parmi les protestants, à la nouvelle de ce guet-apens, et peu s'en fallut qu'ils ne prissent les armes; de leur côté, les catholiques s'émurent et s'apprêtèrent à la résistance.

De ce moment où toutes les haines s'étaient réveillées, on s'éloigna les uns des autres, on s'observa, on se tint sur ses gardes.

Charles IX paraissait pourtant décidé à s'associer aux justes plaintes des amis de l'amiral, qui accusaient les Guise: il jura par la *mort-Dieu*, son serment habituel, qu'il ferait justice de l'assassin et de ses complices; il ordonna même aux Guise de quitter la cour.

Ce fut une première satisfaction donnée aux chefs protestants, qui se reprochèrent bientôt leur défiance et se reposèrent sur la bonne foi du roi.

La blessure de l'amiral, qu'on avait transporté à l'hôtel où il logeait dans la rue de Béthisy, fut pansée par le célèbre Ambroise Paré: on craignait encore que la balle n'eût été empoisonnée.

Le roi, accompagné de sa mère, de ses frères et de ses premiers officiers, vint rendre visite à Coligny et lui témoigna, en l'appelant son père, le chagrin qu'il éprouvait de cet odieux attentat.

La démarche du roi et ses paroles toutes bienveillantes, qui passèrent aussitôt de bouche en bouche, achevèrent d'aveugler les calvinistes et d'endormir les soupçons.

Paris néanmoins restait frappé de stupeur et comme dans l'attente.

Les protestants s'écartaient des catholiques, et ceux-ci avaient des regards sombres, haineux et inquiets; une partie des boutiques restaient fermées; la milice bourgeoise était prête à marcher, au premier ordre des quarteniers; le Louvre se garnissait de soldats, et dans les rues désertes, où passaient des troupes de gens armés, on remarquait des groupes de peuple stationnant et parlant à voix basse.

Les calvinistes, qui se trouvaient dispersés dans différents quartiers de la ville, avaient reçu secrètement avis de se rapprocher du quartier du Louvre où demeuraient leurs chefs: on accusa depuis Catherine de Médicis d'avoir transmis cet avis aux victimes qu'elle voulait, en quelque sorte, rassembler sous sa main avant le massacre.

Catherine fut donc l'âme de cet horrible complot, qu'on ne révéla au roi que la veille de l'exécution. Charles IX s'emporta d'abord et refusa énergiquement d'y participer, même de l'autoriser; mais sa mère connaissait l'art de le soumettre aux opinions et aux actes qu'elle lui imposait, et après quelques insinuations perfides, quelques mensonges adroits, elle métamorphosa les idées du roi, au point de lui faire adopter, comme utile et nécessaire, le plan de l'extermination des hérétiques qui entretenaient la guerre civile en France.

A l'instant, tout s'organisa en silence pour les nouvelles Vêpres siciliennes, qui devaient prendre le nom de *Matines françaises* et qui furent fixées au dimanche 24 août, jour de la fête de saint Barthélemy.

Le fatal secret resta fidèlement gardé entre six ou huit personnes, jusqu'à la veille au soir.

Ce soir-là, le prévôt des marchands fut mandé au Louvre et introduit dans le conseil royal, où il reçut les instructions les plus précises pour seconder la prise d'armes des catholiques, en faveur de laquelle on prétextait une conspiration des calvinistes contre la vie du roi. Les quarteniers et les notables bourgeois furent convoqués pour minuit à l'hôtel de ville.

Les chefs et les gentilshommes catholiques ignorent toujours ce qui se trame; mais ils savent que le conseil du roi et de la reine mère a été longtemps en séance aux Tuileries et au Louvre. Des bruits vagues d'émeute, d'assassinat et de guerre circulent de toutes parts et deviennent de plus en plus menaçants.

Charles IX a envoyé un capitaine de sa garde, Cosseins, avec cinquante hommes, à l'hôtel de Béthisy, comme pour le garder et pour mettre en sûreté l'amiral; le roi de Navarre et le prince de Condé, qui logent au Louvre, ont été invités à rappeler auprès d'eux les officiers de leur maison, leurs capitaines et leurs amis, afin de pouvoir se réunir et faire tête au danger, en cas d'un soulèvement du peuple.

La ville est tranquille, en apparence, et pas un habitant ne se montre dans la rue: des chandelles, des lanternes et des lampes, allumées aux fenêtres, répandent partout une vive clarté qui se reflète à l'horizon et qui semble assurer le sommeil des citoyens contre les embûches de leurs ennemis. Le Louvre seul et le quartier environnant sont plongés dans l'obscurité.

II

Le souper avait été fort gai et fort animé chez le sire de Losse, qui occupait la maison d'un chanoine, son parent, à l'entrée du cloître Saint-Germain-l'Auxerrois.

Les convives s'étaient conduits à table comme s'ils voulaient ne prendre aucune part aux graves événements de la nuit: ils avaient fait si largement honneur au vin de leur hôte et surtout à l'hypocras, vin cuit, sucré et épicé, que le peu de raison qu'ils conservaient était à peine suffisante pour leur permettre de jouer aux cartes et aux dés.

Ils ne quittèrent pas la salle du repas, afin de continuer à boire en jouant, et ils se contentèrent d'envoyer coucher les valets, après avoir fait enlever et dégarnir la nappe, où l'on ne laissa que les bouteilles pleines et les verres.

Le jeu commença ensuite avec fureur.

— Enfants, dit le capitaine de Losse en vidant son verre, honte et malédiction à quiconque sortira du jeu avant l'aube! — Oui-da, capitaine! je jouerai tant que mon escarcelle soit à sec, reprit un jeune homme assis à la droite du sire de Losse.

Celui qui parlait ainsi était remarquable par sa jolie figure presque imberbe et par ses manières modestes, élégantes et gracieuses, qui décelaient un fils de famille, encore neuf au genre de vie de ses compagnons de table et de jeu. — Bon! après avoir tout perdu, il faut jouer davantage! répliqua Jacques de Savereux, un des plus rudes buveurs et joueurs de l'assemblée, en tortillant dans ses doigts sa longue moustache. — Bien dit, Savereux! s'écria le sire de Losse.

En même temps, il frappa sur la table, en signe d'approbation, avec tant de force que les bouteilles et les verres s'entre-choquèrent avec fracas.

— Dame Fortune, continua-t-il, onc ne revient vers les peureux qui se lassent de la poursuivre, et de même que le cerf en chasse, elle veut être forcée par des chiens de dés ou par des chiennes de cartes.

— Messieurs, dit un convive à barbe grise, qui buvait et ne jouait pas, sommes-nous sûrs d'avoir toute cette belle nuit à donner aux dés et à la bouteille? — Par la messe! reprit Jacques de Savereux, qui avait une grande autorité de réputation et d'expérience dans les affaires de plaisir: Y a-t-il ici des moines et des novices qui doivent descendre au chœur, quand on sonnera matines à Saint-Germain-l'Auxerrois? — Monsieur de Savereux, vous êtes, m'est avis, le plus brave et le plus aventureux de céans, répondit le grison en secouant la tête et en faisant claquer ses lèvres. — Eh bien? interrompit brusquement celui à qui s'adressait cet éloge. — Eh bien! il n'y a ni cartes, ni dés, ni vin, ni fille, qui vous puissent arrêter lorsqu'on sonne le boute-selle, lequel vaut bien la cloche de matines pour des moines de votre espèce... — Qu'est-ce à dire, capitaine Salaboz? interrompit sévèrement le maître de la maison. — C'est-à-dire, camarade, que dans les circonstances présentes, il faut être prêt à monter à cheval et à faire son devoir. Ces scélérats de huguenots n'ont-ils pas failli assiéger hier Sa Majesté dans le Louvre.

Le jeune homme, que le sire de Losse avait placé à sa droite, moins pour lui faire honneur que pour veiller sur lui, rougit et pâlit alternativement; puis, il redressa la tête, croisa les bras et regarda Salaboz avec une dédaigneuse colère.

— Oh! le sot conte qu'on lui a fait là! interrompit encore le sire de Losse tournant les yeux vers son jeune voisin, dont il voyait et comprenait l'irritation. Les huguenots ne m'ont pas requis d'être leur avocat, mais je les crois trop sages, trop bons gardiens de leurs intérêts pour se fourvoyer dans une si ridicule entreprise que d'attaquer le Louvre. — Dites plutôt que vous les croyez trop loyaux sujets du roi pour être capables de le trahir? repartit avec chaleur le jeune homme, offensé d'une calomnie qui semblait avoir été dirigée contre tout le parti protestant, mais qui s'adressait plus particulièrement à lui-même. Capitaine Salaboz, parlez plus honnêtement... — Trêve, messieurs! s'écria d'un ton impérieux le capitaine de Losse, qui se leva, une bouteille à la main. Salaboz, votre verre! et vous, monsieur de Curson, le vôtre? Une santé à tous les bons sujets du roi, de quelque religion qu'ils soient! Buvons, messieurs, à la fin des troubles et à la prospérité de la France!

Ce toast coupa court à toute explication, et la querelle qui allait s'engager entre Salaboz et M. de Curson, fut étouffée au cliquetis des verres.

Le capitaine Salaboz se remit à boire, en jetant par intervalles un regard fauve et narquois à son jeune antagoniste qui était absorbé par les émotions du jeu.

Chaque joueur avait mis en tas devant soi l'or et l'argent que contenait sa bourse; le sire de Curson était plus riche à lui seul que tous les autres ensemble, quoiqu'il eût déjà contribué, de ses deniers perdus, à former la mise de fonds de ses adversaires, ligués tacitement pour le dépouiller.

Ce gentilhomme, qui perdait avec un calme et une patience dignes du joueur le plus endurci, n'en avait pas moins au plus haut degré la passion du jeu.

Sa physionomie immobile, mais attentive, ses yeux fixes, mais ardents, ses mouvements rares, mais précis et résolus, trahissaient quelque chose de cette passion, aussi dominante chez lui, que si elle eût été invétérée par le temps et par l'habitude.

Il n'avait pourtant pas à se louer des chances du sort, car chaque coup de dés, qu'il suivait d'un air impassible, diminuait, au profit des autres joueurs, le monceau de pièces d'or où il puisait sans cesse, quelquefois avec un sourire d'indifférence.

On pouvait d'ailleurs, à son extérieur, juger qu'il était assez riche pour supporter des pertes plus considérables que celles qu'il faisait en ce moment.

Son costume, entièrement noir, avait une apparence de simplicité, que démentaient la beauté de sa collerette *goudronnée* à petits tuyaux en point de Venise et l'éclat d'une grosse chaîne d'or rehaussée de pierreries qui brillaient sur sa poitrine; son pourpoint de velours rembourré, à courtes basques, était serré à la taille par une grosse agrafe d'or ciselé; ses *trousses*, ample haut-de-chausses, qui ballonnait autour des reins, étaient brodées en jais ou *joyet*.

Son épée, à poignée d'argent travaillé, son chapeau de feutre, à forme conique, orné d'un nœud de perles, au lieu de la croix blanche que portaient les catholiques comme signe de ralliement, son manteau de satin bordé de martre zibeline noire, avaient été déposés dans une autre salle avant le souper.

Jacques de Savereux, qui était placé auprès du jeune sire de Curson, attirait à soi la meilleure part du gain que les chances du jeu distribuaient entre les assistants aux dépens du plus riche.

Il se distinguait par sa figure et sa mine, plutôt que par son habillement peu luxueux et à peine présentable en compagnie honnête.

Son pourpoint de soie verte, taillad é à crevés de satin rouge, avait été fait pour un homme de grande taille, et la sienne était médiocre; en outre, ce pourpoint portait des traces irrécusables d'un long et laborieux usage; ses trousses et ses chausses, d'étoffe brune fort modeste, étaient heureusement dans un état moins dangereux que le pourpoint, qui laissait voir une chemise à peu près blanche par des crevés que le tailleur n'avait pas inventés.

Malgré les imperfections de sa garde-robe, Jacques de Savereux avait un air de gentilhomme que ne compromettaient nullement les trous de son habit.

Ses traits régulièrement dessinés, ses yeux doux et fiers à la fois, sa bouche fine et expressive, ses cheveux, sa barbe et ses moustaches du plus beau noir, ses mains délicates et soignées, tout ce que la nature avait fait pour lui, et tout ce qu'il avait pu ajouter à la nature, compensaient amplement ce qui lui manquait du côté de la toilette.

Ses nobles instincts, son cœur bon et généreux, son esprit audacieux et jovial, son caractère loyal et ferme, suppléaient à l'absence de toute éducation morale, mais ne corrigeaient pas ses deux vices dominants: l'amour du vin et l'amour du jeu.

—Par ma foi! monsieur mon ami, dit-il gaiement à Yves de Curson, vous avez la main trop malheureuse! Çà, buvons, pour vous mettre en voie de fortune; buvons à vos amours, s'il vous plaît! —Je n'ai pas d'amours! reprit froidement, mais poliment le sire de Curson. —Pas d'amours! En vérité, vous sortez donc de nourrice, ou bien vous êtes en apprentissage pour devenir ministre de la religion prétendue réformée... —Savereux, je ne te reconnais pas! interrompit le sire de Losse. M. de Curson n'est pas plus huguenot que toi et moi, puisqu'il est mon hôte, et c'est mal fait à toi de le quereller là-dessus. —Je suis bon pour soutenir ma querelle, dit le jeune homme qui déjà cherchait des yeux son épée. —Par la messe! mon fils, je le sais bien et personne n'en doute! reprit le capitaine de Losse, en remplissant les verres à la ronde, moyen de conciliation qu'il avait toujours employé avec le même succès. —Certes, nous n'en doutons point, dit Savereux qui prit la main de son voisin et la secoua cordialement. M. de Curson, si vous avez quelque affaire d'honneur, appelez-moi pour vous servir de second. — Merci, je m'en souviendrai, repartit le sire de Curson qui s'était remis à jouer.

Le jeu recommença de plus belle.

— Par Notre-Dame! dit un joueur ramassant son gain: l'or des huguenots me semble bon catholique. — Notre saint-père le pape le prendrait sans l'excommunier ni l'exorciser, dit un autre. — J'irais au prêche volontiers, ajouta un troisième, si le diable ou le ministre crachait des écus d'or. — Tête et sang! je veux me faire huguenot, dit un quatrième, puisque les huguenots ont l'escarcelle si bien dorée. — Je vous empêcherai de blasphémer, en doublant la mise, interrompit le sire de Curson, que le démon du jeu exaltait davantage par le dépit de perdre toujours. — Pourquoi ne pas la tripler? répliqua le plus ivre de la compagnie. — Quadruplons-la, dit Jacques de Savereux qui s'abandonnait avec emportement à sa passion favorite. — Bien! reprit le jeune homme en présentant pour son enjeu une poignée d'écus d'or. Cinq et deux! — Trois et quatre! — Double as! — Dix! — Je gagne! s'écria Savereux, avant d'avoir jeté les dés qu'il agitait dans le cornet. Double six! — Voilà trois cents écus d'or perdus! murmura Yves de Curson, en comptant d'un air distrait les pièces qu'il avait encore devant lui. Je joue mon reste pour la revanche! — Soit! Je boirai, je jouerai, jusqu'au jugement dernier, dit Savereux.

En disant ces mots d'une voix enrouée, il chancelait sur son siége, les yeux à demi clos, et portait à sa bouche le cornet avec les dés au lieu du verre.

— On frappe! Écoutons, messieurs! interrompit le capitaine de Losse, réclamant un instant de silence que joueurs et buveurs ne se pressaient pas de lui accorder. — Mon ami, disait Savereux à M. de Curson, recommandez vos dés à saint Calvin, je vous conseille! — Qu'est-ce? Qui frappe en bas? demanda d'une voix forte le sire de Losse ouvrant la fenêtre.

Il s'était avancé sur le balcon, pour reconnaître les gens qui frappaient sans interruption à la porte de la rue.

— Capitaine, dit une voix d'enfant, descendez, s'il vous plaît, et allez au Louvre. — Au Louvre? répliqua le sire de Losse: c'est M. de Nançay qui fait le service de gardes... — Le roi vous mande tout à l'heure, reprit la voix. Où trouver maintenant le capitaine Salaboz? — Le voici!

dit ce capitaine qui parut à la fenêtre, la bouteille et le verre en main. — Capitaine, on a besoin de vous à l'hôtel de Béthisy; M. de Cosseins vous instruira de ce qu'il faut faire. — M. de Losse, voyez si je me trompe! dit Salaboz à demi-voix: la danse de ces païens s'en va commencer... — Qui es-tu, toi qui m'apportes un ordre du roi? demanda le sire de Losse avec défiance: quelles gens sont avec toi? — Je suis page de madame Catherine, et six arquebusiers de sa garde m'accompagnent. — Adieu, petit, bonsoir!

Le sire de Losse referma la fenêtre, et se disposa sur-le-champ à obéir aux ordres du roi, sans que les joueurs se fussent dérangés pendant ce colloque.

Yves de Curson venait de gagner au dernier coup de dés, et l'espoir de poursuivre cette heureuse veine augmentait son acharnement au jeu.

Jacques de Savereux, qui avait fait rafle sur l'argent de tout le monde, s'étonnait tout haut de ce bonheur inusité, et discutait déjà l'emploi de son gain; la seule chose qu'il oubliât dans ses projets, c'était l'achat d'un pourpoint: il se proposait d'acquérir d'avance toute la vendange de l'année.

— Mes amis et messieurs, dit le sire de Losse à ses convives, excusez-moi de vous quitter avant l'aube, ainsi qu'il était convenu: le roi me mande, mais je ne tarderai guère... N'arrêtez pas de boire, en attendant. — Capitaine, cria Savereux qui d'un coup de dés avait fait passer dans sa bourse le reste de celle d'Yves de Curson, dites à Sa Majesté que dame Fortune préfère les catholiques aux huguenots, et que je viens de vaincre à coups de dés le plus galant homme de la religion. — La nuit sera chaude, dit Salaboz en se séparant du capitaine de Losse qui se rendait au Louvre; je n'ai jamais senti si belle soif de sang huguenot! Au dire de monseigneur le duc de Guise, la saignée est bonne en août.

III

Quand les capitaines de Losse et Salaboz furent sortis, le jeu continua encore avec plus d'emportement, quoique la plupart des bourses eussent été épuisées par Jacques de Savereux, dont la veine de bonheur n'avait pas tari un instant.

Plus il jouait avec indifférence, étourdi et presque assoupi par le vin qu'il versait à pleins verres dans son estomac, déjà chargé de bonne chère, plus il voyait la fortune s'obstiner à le favoriser.

Il n'avait jamais rencontré une si belle chance, et il commençait à s'en fatiguer, car le plaisir d'un joueur consiste surtout dans ces alternatives de perte et de gain qui tiennent sans cesse son esprit en éveil, et qui lui font éprouver des émotions toujours nouvelles: un joueur, condamné à gagner infailliblement, se dégoûterait bien vite du jeu.

Savereux, que la bouteille rendait encore plus gai et plus bavard qu'à l'ordinaire, buvait et parlait à lui seul autant que tout le monde.

Il eût volontiers laissé là les dés, s'il n'avait pas eu en main l'argent de ses amis, et surtout celui d'Yves de Curson, qui s'était décidé, comme les autres, à jouer et à perdre sur parole.

—Compagnons, nous sommes tous de beaux joueurs! dit Savereux, dont les yeux clignotants et larmoyants ne demandaient qu'à se fermer tout à fait; oui, les plus galants joueurs qui soient en la chrétienté!—Nous jouons comme des enfants! interrompit le sire de Curson, irrité de perdre avec persistance, et de plus en plus dominé par l'ardeur du jeu, qu'il refusait de noyer dans le vin. Quatre cents écus d'or, ce n'est pas une affaire!—Quatre cents écus d'or! reprit Savereux: voilà dix ans que je joue tous les jours, et je n'avais encore possédé pareille somme!—Çà, quel est donc, s'il vous plaît, le revenu de vos domaines de Savereux!—Mes domaines! s'écria Jacques de Savereux avec un énorme éclat de rire: je suis noble, parce que feu mon honoré père l'était, et qu'il a de son fait anobli le ventre de ma mère; mais je n'ai d'autre patrimoine que mon épée; qui m'a fait ce que je suis, à savoir enseigne dans le régiment de messire le chevalier d'Angoulême. Je n'attends nul héritage et me contente des produits de ma paye et du jeu, pourvu que le vin soit frais et abondant.—Vraiment! j'aurais honte et regret de vous ôter ainsi le pain de la bouche: je ne jouerai pas plus longtemps avec vous. — Oui-da, mon cousin, vous raillez? Mais, par Dieu! je suis à cette heure plus riche que vous, et ce n'est pas moi qui joue sur parole. — Entendez-vous dire que ma parole vaut moins qu'espèces sonnantes? repartit Yves de Curson, piqué et confus de cette allusion à l'état présent de sa bourse. Tenez, ajouta-t-il en détachant sa chaîne d'or et en la jetant sur la nappe, voici de quoi représenter et cautionner ma dette jusqu'à demain. — Fi! monsieur, répliqua fièrement Jacques de Savereux, me regardez-vous comme un juif prêteur sur gages? — Point, monsieur, mais il me convient de jouer contre vous ce joyau qui a coûté trois mille livres. — Je jouerai tout ce qu'il vous plaira de jouer, pourvu que ce soit sur parole, et que cette chaîne demeure à votre cou. — Jouons d'abord pour cette chaîne, que vous me restituerez moyennant trois cents écus d'or, si je la perds. — Je le fais afin de ne pas vous contrarier, mais à condition que nous boirons un peu pour nous tenir en haleine. — Buvez tout votre soûl, mon maître, et jouons, jouons... Il n'est pas tard encore? — Dix heures et demie! répondit un des assistants, accoudé sur la table et prêt à s'endormir. Qui frappe en bas? — La chaîne m'appartient! dit Savereux, sans regarder les dés qu'il avait lancés hors du cornet. — Non, pas la chaîne, mais les trois cents écus dont elle est le gage, dit tranquillement Yves de Curson. Ce ne sont là que bagatelles et enfantillages. Jouons maintenant par cinq cents écus d'or, à chaque jet de dés... — Cinq cents écus d'or! Monsieur mon ami, m'est avis que vous avez bu plus que moi, et aussi que vous êtes moins sage. — Je ne puis vous contraindre à jouer votre gain, dit amèrement le jeune homme. — Mon gain! Me le reprochez-vous? Pardieu! je le jouerai jusqu'à la dernière pièce. — Cinq cents écus par jet de dés! Vous, messieurs, qui ne jouez pas, jugez des coups et comptez les sommes? — On ne cesse de frapper, objecta quelqu'un. — Bon! c'est de Losse qui revient! dit un autre en se levant pour descendre à la porte.

Il eut bien de la peine à se traîner jusqu'à la fenêtre qu'il ouvrit.

— Capitaine?... Non, ce n'est pas lui, par le Saint-Sacrement! C'est une femme! — Une femme! s'écria Savereux, qui laissa là le jeu et courut en trébuchant vers la fenêtre. — Revenez donc, M. de Savereux! criait le sire de Curson avec dépit et impatience. Le merveilleux prétexte pour quitter le jeu! — C'est une femme à cheval, avec un valet qui l'escorte. — Au diable la nuit qui m'empêche de la voir! disait Savereux.

Il se penchait par la fenêtre avec tant d'abandon qu'il serait tombé, si on ne l'eût retenu par derrière.

—Que tous les diables catholiques emportent toutes les femmes! grommelait Yves de Curson, en martelant la table avec le poing. —Madame, que vous plaît-il de nous? dit Savereux, élevant la voix et saluant cette dame qui regardait en haut. —Messire, un gentilhomme de Bretagne, nommé Yves de Curson, n'est-il point avec vous? répondit l'inconnue.

Elle tremblait en parlant ainsi à demi-voix, et elle ordonna en même temps au valet de prendre la bride du cheval.

Jacques de Savereux n'eut pas plutôt obtenu cette réponse, que la curiosité, la galanterie et une sorte de pressentiment le poussèrent à descendre pour voir de plus près cette dame dont l'accent lui était tout à fait étranger.

Il se précipita dans l'escalier, en se heurtant aux murs et à la rampe, comme un aveugle, et il alla tomber, de marche en marche, sur le seuil de la porte d'entrée.

Le mouvement extraordinaire qu'il venait de donner à son corps acheva de troubler son cerveau en y faisant affluer les vapeurs du vin qu'il avait bu depuis plusieurs heures; ses yeux étaient voilés, sa langue épaisse et son gosier aride.

Il n'en était pas moins empressé de paraître dans ce vilain état devant cette femme qu'il ne connaissait pas, mais qui lui avait semblé jolie et bien faite.

Malgré ce désir dont lui-même ne se rendait pas bien compte, il fut longtemps à trouver la serrure, à tourner la clé et à ouvrir la porte.

Il aurait fait encore une lourde chute, après laquelle il se serait relevé avec peine, s'il n'eût trouvé fort à propos la muraille pour s'y cramponner des deux mains et pour conserver de la sorte une apparence d'équilibre.

—Ma... madame, dit-il d'une voix chevrotante et inintelligible, bienheureux est celui que vous honorez de vos bonnes grâces! —Ne pensez pas finir ainsi notre jeu! criait Yves de Curson, s'imaginant que Savereux cherchait un prétexte pour se retirer avec son gain.

Il s'était élancé à la poursuite de ce gentilhomme et l'avait saisi par le bras avec tant de force qu'il le soutint, lorsque ses jambes vacillantes ne le soutenaient plus.

—Ah! c'est vous, Yves! dit la dame, qui le reconnut à la voix, et qui fit approcher le cheval de la porte.—Oh! la divine et ravissante figure! s'écria Savereux, en essayant de se dégager de l'étreinte du jeune homme. Ce n'est pas une mortelle, mais quelque nymphe, quelque naïade de la Seine, quelque ange du ciel descendu sur la terre!

Cette femme était, en effet, d'une grande beauté.

Son visage, tourné vers Yves de Curson, avait été tout à coup éclairé par la lueur des torches portées par des soldats qui sortirent du Louvre.

Jacques de Savereux, à la vue de cette douce et mélancolique figure qui ne lui apparut qu'un moment et qui rentra dans l'ombre presque aussitôt, oublia qu'il était ivre et voulut s'avancer dans la rue; mais le sire de Curson ne le lui permit pas, et, l'attirant dans le vestibule avec plus de ménagement que de violence, il le coucha doucement sur les dalles, où celui-ci s'agita et se roula inutilement, avec de terribles jurons, sans parvenir à se remettre debout.

Tandis qu'il s'épuisait en efforts pour se relever et pour revoir encore la charmante femme qu'il avait entrevue, il recueillait précieusement dans son cœur le souvenir de cette jolie tête aux traits moelleux et corrects, aux yeux bleus pleins de finesse, aux joues pâles, sillonnées de larmes, aux blonds cheveux, dont quelques boucles s'étaient échappées du *scoffion* de velours, sous lequel les femmes emprison-naient alors la plus riche chevelure.

Le scoffion, coiffe en forme de casque, surmontée d'une toque également en velours à aigrette et à lassure d'or, n'était pas chez cette inconnue le seul indice d'une naissance et d'une condition distinguées; car il fallait qu'elle fût d'une bonne noblesse pour être vêtue d'étoffe de soie noire à passements d'or, et pour avoir une robe à *vertugales*, c'est-à-dire enflée autour des reins avec des baleines et des bourrelets de crin qui, par comparaison, donnaient à la taille plus de finesse et d'élégance.

Les lois somptuaires de Charles IX avaient renchéri sur toutes celles de ses prédécesseurs, et pendant son règne, une bourgeoise, même la femme d'un magistrat ou d'un procureur, ne se fût pas exposée à payer l'amende, en augmentant l'envergure de sa robe, en la bordant de velours ou de canetille d'or et d'argent, et en portant *dorures en la tête*, comme disait l'édit dont les défenses ne s'appliquaient pas sans doute à cette dame ou *damoiselle*, qui se montrait ainsi en public avec un *carcan* ou collier et des bracelets émaillés.

—Pour Dieu! Anne, que venez-vous faire céans? lui dit Yves de Curson, qui s'était approché d'elle pour n'être pas entendu. —Je viens savoir ce que vous devenez, reprit-elle timidement, et pourquoi vous ne rentrez pas? —Et que voulez-vous que je devienne? répliqua-t-il, en ne cachant pas son dépit et son impatience. —Ne vous fâchez pas, et dites-moi plutôt si M. de Pardaillan n'est point avec vous? —Pardaillan! il couche au Louvre, ne vous en a-t-il pas avertie? —Oui, par une lettre, reprit-elle en rougissant: il me disait, dans cette épître, que le roi de Navarre, craignant qu'il ne fût assez en sûreté à son logis, car on prévoyait une émotion du populaire, lui a ordonné de passer la nuit au Louvre, avec les autres officiers de la maison du roi de Navarre. —Alors, à quoi bon demander des nouvelles de Pardaillan? —C'est... c'est que je doutais de la vérité... et j'appréhendais qu'il ne restât en ville avec vous à jouer et à banqueter... —Je ne joue pas, je ne banquète pas! repartit le sire de Curson, qui feignit d'être irrité pour n'avoir pas l'air embarrassé. La peste soit des curieuses et des fiancées! Où allez-vous maintenant? —Mais... n'est-il pas heure de retourner à son lit, surtout quand on a devant soi une traite de demi-lieue? —Aussi bien, qu'aviez-vous affaire de venir? Et madame votre mère est insensée de vous laisser courir les rues... —Elle dort et ne soupçonne rien... Je m'étais fort réjouie par avance de la venue de M. de Pardaillan, et je l'ai attendu fort tristement jusqu'à ce que sa lettre m'ôtât toute espérance de le voir. Si du moins vous fussiez arrivé pour me tirer d'inquiétude! J'étais si fort en peine, que je n'aurais pu dormir... Puis, on disait par tout le faubourg que le peuple se remuait; puis de loin, la ville semblait en feu, à cause des lumières qui sont aux fenêtres des maisons... Je suis donc montée à cheval sans prendre le temps de changer d'habit et j'ai traversé la rivière... —Vous avez, ma mie, plus de courage, étant fille, que n'en aurait la femme d'un vieux capitaine de reîtres... —Je sors de l'hôtel de notre pauvre M. l'amiral, où j'ai su que vous soupiez ici avec des catholiques... —Qu'importe! Je vous trouve un peu bien téméraire de vous intriguer ainsi de mes actions! —Dix heures ont sonné à l'horloge du palais, lorsque je passais sur le Pont-au-Change. — Dix heures ou minuit, je m'en soucie comme de ça, et je ne me coucherai qu'au jour levé. — Quoi! mon ami, vous ne m'accompagnerez pas? Allons, mettez-vous en selle devant moi... — Non, vrai Dieu! vous retournerez comme vous êtes venue, et demain vous serez réprimandée tout à loisir. — Yves, mon ami, vous n'êtes pas sain d'esprit... Oh mon Dieu! comment retournerai-je? — Pierre, tu es bien armé? demanda-t-il sèchement au valet qui tenait la bride du cheval. — Une dague, une épée et deux pistolets, monseigneur! répondit le valet, qui avait servi dans l'armée calviniste. — Et tu en sais faire bon usage? Va-t'en vitement, et dorénavant sois moins docile aux fantaisies d'une folle!

En prononçant ces mots avec froideur et sévérité, il tourna le dos à la jeune femme, rentra dans la maison et en referma la porte.

L'inconnue, que cette dureté de la part du sire de Curson avait profondément blessée, resta un instant indécise et stupéfiée; elle regardait la porte, dans l'attente de la voir se rouvrir, et elle croyait encore qu'elle ne partirait pas seule: on entendait le murmure de ses sanglots étouffés.

La porte ne se rouvrant pas, au bout de trois minutes, elle s'indigna d'avoir trop attendu, releva la tête, essuya ses pleurs, rejeta sur son visage le voile attaché à son scoffion, et tira si vivement la bride de sa monture, que le valet faillit être renversé par le cheval qui prenait le galop.

IV

Au trépignement du cheval sur le pavé, Yves de Curson eut un remords et se repentit d'avoir été cruel, ingrat, égoïste.

Il voulut arrêter le départ de la jeune fille, qui n'avait pas d'autre tort envers lui que d'avoir interrompu son jeu, et il se proposait de la suivre, de la rejoindre, de ne pas la quitter, lorsqu'il fut retenu et distrait de son idée par une agression imprévue.

C'était Jacques de Savereux qui se démenait dans l'obscurité, en grondant, et qui, ayant rencontré la jambe du sire de Curson, ne la lâcha plus, quelque effort, quelque prière que celui-ci employât pour se délivrer de cette étreinte, semblable à l'agonie d'un noyé, qui se cramponne à tout ce qu'il peut saisir.

Le pas du cheval s'éloignait et n'était déjà qu'un bruit indistinct, lorsque M. de Curson comprit que son honneur était intéressé à ne point partir.

Savereux lui adressait des reproches et des provocations que la présence de témoins le forçait d'entendre et de relever, quoiqu'il dût les mettre sur le compte du vin et les excuser dans son for intérieur.

—Mort et passion! criait Savereux, dont l'ivresse seule aliénait alors la bonté naturelle: monsieur le huguenot, si vous n'avez pas d'amour, tant pis pour vous, mais ne nous défendez pas d'en avoir, à votre barbe.—Quelle fête y a-t-il au Louvre cette nuit? dit un des gentilshommes qui étaient restés à la fenêtre de la salle du souper. Voyez ces porteurs de torches, ces petites troupes d'archers et d'arquebusiers de la garde du roi, le long des fossés? N'était ce silence, je penserais qu'on se bat quelque part.—Monsieur de Savereux, dit avec douceur Yves de Curson qui cherchait à calmer le ressentiment déraisonnable de ce buveur, nous reprendrons le jeu demain et jours suivants; mais il faut que je parte, ne vous déplaise...—Vous partirez, après m'avoir tué, si bon vous semble, par le sang-Dieu!—Dieu m'en garde! Êtes-vous en démence? Il vous faut dormir, monsieur de Savereux, et cuver votre vin.—C'est moi qui vous tuerai, j'espère, pour vous punir de m'avoir privé de la vue de ma dame...—Votre dame? répliqua hautement le sire de Curson, qui prit alors l'explication au sérieux.—Oui, ma dame, la plus belle, la plus plaisante, la plus honorable, la plus adorée!...—Vous vous gaussez de nous, messire! Vous ne connaissez seulement pas celle que vous nommez votre dame? — Je la connais mieux que vous! — La raillerie est malsaine et peut faire périr son homme. Si Pardaillan vous entendait... — Qui? Pardaillan? le bâtard de Gondrin, le capitaine du régiment béarnais du roi de Navarre? — Vous êtes ivre, monsieur de Savereux, sinon vous seriez un maladroit et malhonnête homme! — Sang et sang! aidez-moi un peu à remonter là-haut, et je vous montrerai qui je suis.

Le bruit de cette discussion, qui dégénérait en injures et en menaces, avait attiré, sur le palier de l'étage supérieur, deux des convives portant de la lumière.

Yves de Curson, pâle de colère, prêtait l'appui de son bras à Jacques de Savereux, qui, non moins courroucé que lui, mais le visage pourpre et les paupières demi-closes, trébuchait à chaque degré et retombait de tout son poids sur la poitrine de son adversaire. — Mille diables! mille morts! mille dieux! répétait Savereux, dont la voix était entrecoupée de hoquets. — Compagnons! cria de la fenêtre un gentilhomme s'adressant à un gros d'archers qui passaient à peu de distance. Ce n'est pas veille de la Saint-Jean, et il n'y a point de feu de joie à la place de Grève? — Non, c'est veille de la Saint-Barthélemy, répondit le chef de ces archers; le roi, dit-on, s'en va faire une chasse aux flambeaux, et nous sommes dépêchés pour contenir la foule des curieux. — Voilà certes, dit un autre gentilhomme, la première chasse qui s'est faite contre les rats et les chats de Paris! — Camarades, fermez la fenêtre! dit d'une voix forte Jacques de Savereux.

Grâce au secours du sire de Curson, il était rentré enfin dans la salle du souper, et il retrempait sa présence d'esprit dans de nouvelles rasades, demandant son épée.

— As-tu pas peur que les bouteilles s'envolent? rétorqua un des assistants: ce seraient plutôt les dés et les écus! — Vous serez témoins et juges du camp, messieurs; je provoque en duel monsieur de Curson.

En prononçant ce défi avec colère, Jacques de Savereux, qui sentait ses jambes se dérober sous lui, tira son épée, qu'un témoin officieux venait de lui apporter, et se mit en posture de tenir tête à M. de Curson.

Celui-ci, dont le vin n'avait pu troubler la raison ni le sang-froid, refusait de prendre son épée et de s'en servir contre l'agresseur que l'ivresse empêchait d'avoir son libre arbitre: il se croisa les bras et resta immobile, vis-à-vis de la lame que Savereux lui présentait presque à bout portant.

Les convives murmurèrent de ce qui leur semblait lâcheté; car ils n'étaient pas trop disposés en faveur du sire de Curson, qu'ils savaient huguenot et que le capitaine de Losse avait eu beaucoup de peine à faire admettre dans leur compagnie.

—Vive Dieu! messire, vous n'êtes donc pas gentilhomme! s'écria Savereux qui chancelait et s'appuyait au mur.—Je vous prouverai demain, au jour levé, que je suis meilleur gentilhomme que vous! reprit le sire de Curson.

Il se repentait alors de n'avoir pas suivi la jeune femme et il voulut sortir pour la rejoindre, s'il était possible.

—Halte là, compagnon! dit un gentilhomme, en lui barrant le passage: vous donnerez d'abord satisfaction à celui que vous avez offensé. En garde, monsieur!—En garde, huguenot! ajouta un autre que la vue des épées mit en humeur querelleuse.—Courage, Savereux! criait un troisième: Saigne, saigne ce maître parpaillot! c'est œuvre pie!—Par les tripes de Dieu! monsieur de la Huguenoterie, disait un quatrième, vous avez affaire à une redoutable épée!—Vous n'êtes pas dans votre bon sens, monsieur de Savereux? dit doucement Yves de Curson.

Il répugnait à se commettre avec un homme ivre, et il ne voyait d'ailleurs aucun motif de duel entre Jacques de Savereux et lui.

—Bonsoir et à demain, messieurs!—Nenni! nous ne vous laisserons pas, dirent les témoins qui le retenaient, tant que vous n'aurez point vidé votre querelle.—Je n'ai pas de querelle avec M. de Savereux, répondit-il impatienté, mais j'en aurai, si vous y tenez fort.—Quoi! beau sire, répliqua Savereux lui présentant toujours la pointe de l'épée, vous niez l'injure que vous m'avez faite? Je croyais que MM. les huguenots n'entendaient rien à mentir...—Mentir! interrompit le sire de Curson.

Il était devenu pâle et tremblant, à cette injure: il saisit son épée qu'on lui tendait.

—En garde, mes braves! crièrent confusément les assistants, en remplissant les verres et en portant des santés à la victoire du champion catholique. —Savereux, disait l'un, tire-lui son mauvais sang! —Savereuse, disait l'autre, taille des boutonnières à son pourpoint!

Jacques de Savereux n'était que trop bien animé à pousser son extravagante querelle aux dernières extrémités.

Les cris et les encouragements de ses amis avaient achevé de l'exalter, et en ce moment, il eût juré de bonne foi que ses griefs contre le sire de Curson devaient être lavés avec du sang: il se persuadait que celui-ci avait tenté de lui enlever une maîtresse et avait même usé de violence pour le séparer de cette femme, qu'il eût été fort en peine de nommer!

Yves de Curson, de son côté, avait fini par s'emporter malgré lui et par vouloir châtier l'antagoniste qu'on lui opposait avec des provocations et des injures réitérées; d'ailleurs, il ne pouvait croire que Jacques de Savereux eût trouvé, dans son imagination échauffée par les fumées du vin, tout un conte forgé à plaisir, au sujet de son amour pour une inconnue.

Cet amour n'avait rien d'impossible ni même d'invraisemblable, et c'était en prouver la réalité, que d'en faire le sujet d'un duel. M. de Curson se sentait donc autorisé à prendre vengeance d'une intrigue qu'on lui avait laissé ignorer et que trahissait la démarche de la dame, à cette heure avancée de la soirée.

L'esprit court si vite d'induction en induction, qu'il se félicita d'avoir par sa présence mis obstacle à un rendez-vous projeté; il s'expliqua dès lors la fureur de Savereux, et il donna aussi un motif à la sienne que les raillerie insultantes des convives avaient suffisamment excitée.

Mais son indignation et son ressentiment ne tinrent pas longtemps, à la vue des efforts comiques que faisait Jacques de Savereux pour garder son équilibre et pour ne pas s'endormir. Il se promit tout bas de ne point abuser de l'état peu belliqueux de son adversaire, et il se mit seulement sur la défensive.

—Messieurs, dit-il au moment où les épées se rencontrèrent, veillez à ce qu'il ne se blesse pas en tombant.

Cette plaisanterie provoqua les murmures des témoins et un redoublement de rage chez Jacques de Savereux qui marcha sur son ennemi avec tant de vigueur et de témérité, qu'il faillit le percer de part en part en s'enferrant lui-même.

Le sire de Curson avait eu le temps de relever l'épée qu'il voyait venir droit à sa poitrine, et le coup, ne portant que dans le haut du bras, pénétra au travers des chairs sans atteindre l'os ni l'artère.

Il en résulta une large déchirure d'où le sang jaillit jusqu'au visage de Savereux, qui lâcha son épée par un mouvement d'horreur, et se rejeta tout épouvanté dans les bras de ses amis.

Aucun ne se hâta d'aller au secours du blessé qui arrêtait son sang avec sa main et qui était moins ému que l'auteur même de sa blessure.

—Ah! monsieur de Curson! s'écria Savereux, dont les remords s'étaient vaguement éveillés au milieu de son ivresse. —Il n'en mourra pas vraiment, ce païen de huguenot! grommela un des instigateurs de ce fatal combat. —Vous tenez-vous pour satisfait et content, monsieur de Savereux? demanda un autre, moins acharné contre les protestants. —Pardonnez-moi, monsieur de Curson! dit Jacques de Savereux.

Réunissant ses forces pour se remettre sur pied, il s'approcha du blessé et l'embrassa coup sur coup, en se cramponnant à lui.

—N'ayez pas regret de ce que vous avez fait, monsieur, répondit sans amertume le gentilhomme breton. Je vous rendrai peut-être un jour la pareille, et nous serons partant quittes et bons amis. —Votre sang coule, mon pauvre monsieur de Curson!... Je m'en vais querir un chirurgien... —J'aurais plus tôt fait d'y aller moi-même. Je retourne justement rue de Béthisy, chez monsieur l'amiral, auprès duquel maître Ambroise Paré doit passer la nuit; il me pansera cette égratignure et je n'en dormirai pas plus mal. —Je m'en vais bander votre plaie, dit Savereux.

Il avait préparé son mouchoir en guise d'appareil, et il le noua autour du bras d'Yves pour comprimer l'hémorragie.

—Vive Dieu! je voudrais avoir cette même blessure dans le ventre! Ne me pardonnez-vous pas? —Je vous pardonne de grand cœur, et foin de la rancune. Mais est-il vrai que ce soit votre dame? —Madame! oh! que non pas, puisque c'est la vôtre, j'imagine? Si elle était mienne, je n'aimerais plus le jeu ni le vin. — C'est vous, mon compère, qui avez follement interrompu notre jeu. — C'est vous plutôt, en attirant ici cette belle dame qui est cause de tout le mal. — Le mal n'est pas grand, et je ne sens plus ma blessure, à ce point que je jouerais encore volontiers... — Jouer! oh! cela ne se peut: il faut que je vous mène à maître Ambroise Paré. — Assurément, mais le cas n'est pas urgent, et nous pouvons faire ici quelques jets de dés. — Soit fait à votre plaisir, et Dieu vous donne meilleure chance!

Ce fut Yves de Curson qui aida Savereux à s'asseoir devant la table, et qui lui présenta les dés que sa main maladroite cherchait à tâtons sur le tapis.

— Jouons plus gros jeu! dit M. de Curson. — Je joue en un seul coup de dés tout ce que j'ai gagné ce soir. Douze! — Quatre! A vous les dés! Comptez combien je vous dois et doublons le jeu. — Vous avez perdu tout à l'heure mille écus d'or; comptez vous-même. — Ce n'est rien que cela; je jouerai cette fois trois mille écus... — Trois mille écus! je ne les ai pas, ne vous déplaise, et si je les perdais... — Bon! n'avez-vous pas votre parole comme j'ai la mienne? Trois mille écus sur ces dés: onze! — Et moi, douze! En vérité, j'ai honte de ce bonheur obstiné et ne veux plus de votre argent. — Je serais un bien méchant joueur, si je me décourageais déjà. Cinq mille écus, cette fois! — Cinq mille écus, monsieur mon ami! Voulez-vous pas que je les vole à Dieu ou au diable? Et votre blessure? — Je n'y prends pas garde; vous l'avez merveilleusement pansée, et votre mouchoir vaut, ce semble, tout un appareil de chirurgie... Nous jouons à ce coup cinq mille écus... Ne vous endormez pas, monsieur de Savereux? — Non, que je meure! je boirai tant seulement ce qui reste dans la bouteille... Çà, qu'avient-il des cinq mille écus? — Vous les avez gagnés comme les autres. Merci de moi! j'ai la main un peu bien malheureuse!

Les convives, remarquant la bonne intelligence qui s'était établie entre les deux champions pour l'un desquels ils avaient pris ouvertement parti, se retirèrent dans la pièce voisine et se consultèrent entre eux sur les moyens d'abaisser l'orgueil de ce huguenot: ils avaient tous bu de manière à n'être pas plus maîtres de leurs paroles que de leurs actions.

Le capitaine de Losse n'était pas là pour faire respecter son hôte, et les sentiments haineux, que le capitaine Salaboz avait manifestés énergiquement contre tout ce qui appartenait à la religion réformée, existaient de longue date dans le cœur de tous les catholiques.

On vint à parler des derniers événements, du mariage du roi de Navarre avec Marguerite de Valois, de l'attentat de Maurevert sur la personne de Coligny, de la retraite des Guise exilés de la cour, des complots secrets du parti protestant contre le roi et le royaume.

Le vin, qu'on versait encore à pleins verres, échauffa de plus en plus les esprits, et l'on forma le projet de chasser ignominieusement Yves de Curson, de le maltraiter même, s'il osait faire résistance et tenir tête aux agresseurs.

Ce projet accepté aussitôt que proposé, ils firent irruption dans la salle où les deux joueurs étaient aux prises.

Yves de Curson avait perdu sur parole soixante-dix mille écus d'or.

—Il pue le huguenot! dit un des plus ivres et des plus fanatiques de la bande. —Monsieur le huguenot, vous êtes prié de vider les lieux tout à l'heure! ajouta le meneur de ce complot. —Si vous ne sortez bientôt par la porte, ajouta un autre, vous courrez risque de sortir par la fenêtre! —Rappelez-vous que ce fut de la maison voisine, dit un quatrième, que M. de Maurevert, digne et honnête gentilhomme catholique, adressa une balle d'arquebuse à ce vilain damné d'amiral! —Qu'est-ce? s'écria le sire de Curson, se levant indigné et mettant l'épée à la main. —Quels sont ces mécréants? s'écria Jacques de Savereux, se rangeant du côté du calviniste et tirant aussi son épée. —Messieurs, si quelqu'un d'entre vous a lieu de se plaindre de moi, je l'attendrai demain dans les fossés du Pré-aux-Clercs. —Et ce quelqu'un voudra bien venir avec un second, car je suis, moi, le second de messire de Curson. —Eh quoi! Savereux, êtes-vous en train d'apostasier et de vous rendre calviniste? dit un des ivrognes. —Nous sommes céans seize catholiques, dit un autre: Trouvez-vous en même nombre de huguenots pour cette rencontre. —Mordieu! vous me verrez parmi ces huguenots! répondit Savereux, dont l'ivresse et le sommeil furent un moment dissipés par une noble et généreuse indignation. Venez, monsieur de Curson. Ne demeurons pas davantage dans cette caverne de bêtes fauves. —J'ai perdu contre vous soixante-dix mille écus! lui dit Yves, que cette perte avait laissé profondément triste. Vous les aurez demain, monsieur de Savereux, et puis, nous serons frères d'armes, comme je le suis déjà avec

Pardaillan. — Allez, beaux soudards de Genève! cria le plus insolent des gentilshommes catholiques. — Le fin premier qui s'aventure à insulter l'hôte du capitaine de Losse, répliqua Savereux d'une voix menaçante, je lui baillerai les étrivières à coups d'épée et de dague! — A demain, messieurs de la Papimanie! ajouta Yves de Curson. Nous nous rejoindrons au Pré-aux-Clercs, à midi sonnant, et le Seigneur viendra en aide aux bons contre les méchants!

Le sire de Curson rendit à Jacques de Savereux l'or qu'il avait recueilli sur la table et lui passa autour du cou la chaîne qu'il avait ôtée du sien; ensuite, il le prit par le bras pour le soutenir et l'aider à marcher d'un pas lent et alourdi.

Ils sortirent ensemble de la maison, sans être inquiétés ni suivis.

— Frères d'armes! s'écrièrent-ils en s'embrassant, après avoir remis l'épée dans le fourreau, lorsqu'ils furent dans la rue. Oui, frères d'armes, à la vie, à la mort! — Ne vous en allez pas le chef découvert, gentils frères d'armes! leur cria-t-on d'en haut: vous pourriez gagner un rhume ou une pleurésie, bien que la nuit sera chaude!

Et on leur jeta leurs chapeaux qu'ils avaient oubliés dans la précipitation de leur sortie.

Ils les ramassèrent, en adressant des menaces aux auteurs de cet insolent adieu.

La fenêtre s'était refermée, et des éclats de rire répondaient seuls à leurs imprécations.

Ils s'éloignèrent sans s'apercevoir de l'échange involontaire qu'ils avaient fait de leurs chapeaux.

Celui de M. de Curson, avec son nœud de perles et son lacet d'or, était sur la tête de Jacques de Savereux, et le vieux feutre usé, au-devant duquel Savereux avait attaché la croix blanche, signe de ralliement des catholiques, était sur la tête du gentilhomme huguenot.

V

—Où allons-nous? demanda Jacques de Savereux, dont l'air frais de la nuit combattait en vain l'ivresse et le sommeil. —Nous allons nous coucher, j'imagine? reprit Yves de Curson, qui était forcé de soutenir son compagnon de route pour l'empêcher de tomber endormi. —Où sommes-nous? ajouta Savereux en hésitant sur la direction qu'il devait prendre. —Nous sommes près du Louvre, mais je serais en peine de nommer ce carrefour. —Si nous allons nous coucher, camarade, ce sera nous épargner des pas, que de nous étendre là sur ce tapis. —Quel tapis? le pavé du roi? il est moins douillet qu'un lit d'hôpital, et c'est affaire aux gueux de dormir dans la rue. —Ma foi, vous êtes bien dégoûté! murmura Jacques de Savereux.

Pour joindre l'exemple au précepte, il s'était laissé glisser par terre.

—Je trouve, moi, ce coucher très-honorable. —Levez-vous, monsieur de Savereux, je vous en prie, pour votre honneur? Si quelqu'un vous voyait!... —Je voudrais que le roi me vît! répondit le gentilhomme ivre, qui persistait à rester étendu sur le pavé. —Si un cheval ou quelque charroi passait par là, vous seriez écrasé sans dire gare? —Mordieu! je serais réjoui qu'un rustre de cavalier ou de charretier me rompît une côte ou deux: je me déchargerais sur lui de la grosse colère que j'ai amassée ce soir contre ces ivrognes qui vous ont injurié et menacé... —Nous les retrouverons demain au Pré-aux-Clercs; mais pour y être dispos et vaillants, il nous faut ce soir chercher nos lits! —A demain donc, au Pré-aux-Clercs! répéta Jacques de Savereux, qui déjà ne voyait plus et entendait à peine. —Sur mon âme! monsieur de Savereux, je ne puis vous abandonner cuvant votre vin en pleine rue... —Or, couchez-vous près de moi: le lit est assez large pour deux. —Et vous, monsieur de Savereux, vous ne pouvez, sans vous faire tort, me délaisser errant et égaré en cette ville que je ne connais pas. —Que ne parliez-vous ainsi tout d'abord? reprit Savereux.

Il fit un effort prodigieux de volonté, pour avoir le courage de se soulever, à moitié ivre mort, et de se remettre sur pied, avec l'aide du gentilhomme breton.

—Marchons! dit-il en marchant pas à pas. —Par là, vous retournerez à l'endroit d'où nous venons!... Il serait bon de savoir où va chacun de nous. —Je m'en vais vous conduire à votre hôtel; après quoi, bonsoir, messieurs, et bonne nuit. —Je retournerai, s'il vous plaît, à l'hôtel de

Béthisy, où loge M. l'amiral, et demain, dès l'aube, j'irai querir, au faubourg Saint-Germain, où demeure madame ma mère, la somme de soixante-dix mille écus, que j'ai perdue au jeu contre vous. — Soixante-dix mille écus! s'écria Savereux, à qui les fumées du vin enlevaient le souvenir de son bonheur au jeu: je n'en souhaiterais pas davantage! — Vous les aurez, répondit en soupirant M. de Curson. C'est à peu près la dot de ma sœur! — Par la messe! votre sœur est-elle jolie? je l'épouse. — Elle ne vous a pas attendu, par malheur, et elle se marie demain à un des plus braves gentilshommes de la religion. — J'en suis fâché, monsieur de Curson, car, étant déjà votre frère d'armes, je me serais fait votre frère d'alliance!

Jacques de Savereux se traînait en chancelant sur les pas d'Yves de Curson et luttait faiblement contre le sommeil bachique qui devenait, à chaque instant, plus impérieux et plus irrésistible.

Il était censé montrer le chemin à M. de Curson et le conduire à l'hôtel de Béthisy, mais il allait au hasard et en aveugle, suivant toujours la rue qui s'offrait la première et s'égarant de plus en plus dans le dédale du vieux quartier du Louvre.

Le gentilhomme protestant, qui croyait parvenir tôt ou tard à sa destination, se prêtait lui-même à ces continuelles déviations de route, en ne les remarquant pas; car il était plongé dans une morne rêverie, et il marchait comme un somnambule, sans songer à s'orienter ni à s'expliquer comment il n'arrivait pas à l'hôtel de Béthisy.

Il soupirait par intervalles et sentait des larmes humecter ses paupières: l'emportement et l'exaltation du jeu avaient cessé, et il se retrouvait avec toute sa raison, en face d'une énorme perte qu'il ne pouvait combler qu'aux dépens de la dot de sa sœur.

Il ne parlait donc plus à M. de Savereux, qui profitait de ce silence pour sommeiller tout à son aise, en réglant son pas sur celui de son guide, et en se laissant aller, pour ainsi dire, à un mouvement machinal.

— Voici encore le Louvre! s'écria M. de Curson.

En sortant de la rue de la Vieille-Monnaie, à l'endroit où Henri III posa la première pierre du Pont-Neuf en 1578, il avait aperçu la Seine devant lui, et à sa droite l'hôtel du Petit-Bourbon, les tours et les bâtiments du Louvre, éclairés par une lune blafarde que d'épais nuages gris couvrirent alors comme d'un linceul.

—Le Louvre? dit Savereux qui ne s'éveilla pas tout à fait en rouvrant les yeux. Nous lui tournons le dos depuis une heure.—Le voilà pourtant devant nous, et nous ne sommes pas près de la rue de Béthisy, ce me semble!—Ce que vous prenez pour le Louvre n'est autre que l'hôtel de Béthisy où est logé M. l'amiral.—Quoi! vous ne reconnaissez pas le Louvre? La rivière, à votre avis, coule-t-elle dans la rue de Béthisy?—Qui a la berlue de vous ou de moi? repartit avec obstination Jacques de Savereux.

Il quitta le bras qui l'avait soutenu jusque-là, et il marcha d'un pas inégal dans la direction du Louvre.—Où va-t-il? disait Yves.—Je vais demander au roi si c'est bien le Louvre que je vois.—C'est à moi de le conduire, pensa Yves de Curson qui cherchait des yeux à retrouver son chemin: il a laissé sa raison au fond de la bouteille!—Ah! brigand! ah! traître! criait Savereux, qui, dans sa marche oblique, avait heurté contre la muraille d'une maison.

Indigné de se sentir arrêté par cet obstacle qu'il croyait vivant et hostile, il voulut tirer son épée et se mettre en garde, en s'éloignant du mur sur lequel il retombait sans cesse.

—Je t'apprendrai, criait-il, ce que c'est que ma Durandale, et te ferai confesser, le pied sur la gorge, que je suis fils de Roland, du côté de l'épée.—Savereux, mon ami, dit M. de Curson allant à lui et l'empêchant de dégainer, demeurez ici un instant, pendant que je m'enquerrai de la route? Je reviens à vous, dès que j'aurai avisé quelqu'un qui nous serve de guide.—Frère d'armes, embrasse-moi! murmura M. de Savereux.

Il n'eut pas plutôt perdu l'équilibre, qu'il s'affaissa sur lui-même et se coucha le long du mur, en se disposant à dormir jusqu'au lendemain.

—A boire encore, à boire, boire, boire! murmura-t-il en s'endormant.—La peste du buveur! il faudra le porter dans son lit... Je ne puis faire sentinelle à ses côtés toute la nuit... Si quelques bourgeois venaient à propos... Personne! tout le monde dort... excepté les voleurs et le guet... J'entends là-bas des gens qui passent... Le capitaine de Losse, qui me devait ramener à l'hôtel de l'amiral, ne tient guère sa parole.

Yves de Curson voulut rejoindre les personnes qu'il ne voyait pas, mais qu'il entendait dans le lointain.

Il courut de ce côté; mais le bruit des pas et des voix, qui l'avait guidé, cessa complétement, lorsqu'il se fut engagé dans les rues étroites et tortueuses, voisines de l'Arche-Marion.

Il y avait des chandelles aux fenêtres des maisons: ces rues, ordinairement si ténébreuses, étaient mieux éclairées qu'elles ne l'avaient jamais été en plein jour; elles étaient aussi plus désertes et plus silencieuses que jamais.

Par intervalles, une porte s'ouvrait, et il s'en échappait comme une ombre qui disparaissait sur-le-champ.

M. de Curson appelait et n'obtenait aucune réponse.

Une fois, il distingua une arquebuse sur l'épaule d'un homme qui sortait d'une maison et s'esquivait sans tourner la tête à son appel.

Il essaya d'éveiller quelque marchand dans sa boutique: il frappa rudement à des volets, entre les fentes desquels il avait entrevu de la lumière; mais la lumière s'éteignit, et la boutique resta close et muette.

Il espérait toujours rencontrer une patrouille du guet.

Cette nuit-là, le guet ne se montra nulle part, et les gens sans aveu, qui étaient à cette époque plus nombreux que les soldats du guet, se tinrent renfermés dans leurs cours des Miracles.

VI

Une heure sonnait en carillon à l'horloge du palais, lorsque le gentilhomme breton, découragé de ces recherches inutiles, retourna lentement sur ses pas et interrogea plusieurs fois les mêmes rues, avant de revenir à son point de départ.

Il se trouvait sur le bord de l'eau, à l'extrémité de la rue de la Vieille-Monnaie; mais comme il ne vit pas Jacques de Savereux qu'il y avait laissé endormi, il crut un moment s'être encore égaré et n'avoir pas regagné au même endroit le bord de la rivière.

La vue du Louvre, qu'il apercevait à travers une espèce de brume, l'empêcha de chercher ailleurs le lieu où était resté son compagnon de route; il appela M. de Savereux à plusieurs reprises, longea les premières maisons bâties sur la grève et arriva justement à la place que le dormeur avait occupée: il y ramassa une chaîne d'or.

C'était bien la chaîne qu'il avait ôtée de son cou et que Jacques de Savereux avait mise au sien.

Cette chaîne valait une grosse somme, et l'on pouvait affirmer que celui qui la portait n'avait point été attaqué par des voleurs, puisqu'un objet de si grand prix se trouvait à terre et témoignait que personne ne l'y avait vu.

Yves de Curson en conclut que cette chaîne s'était détachée dans la chute du gentilhomme ivre.

Il la cacha dans sa poche, le cadenas qui la fermait étant brisé, et il se promit de ne plus s'en dessaisir, même en pareille circonstance.

Ces souvenirs de jeu l'attristèrent, et il soupira, en se disant qu'il devait soixante-dix mille écus d'or à M. de Savereux, qu'il ne les avait pas à lui, et qu'il s'était engagé à les payer le lendemain matin!

Cette pensée le ramena naturellement à celle de sa mère et de sa sœur, sa sœur surtout, qui était venue comme un bon ange pour l'arracher à ce fatal jeu; sa sœur qu'il allait dépouiller, afin de faire honneur à une dette de jeu garantie par sa parole!

Revoir sa sœur et sa mère, leur avouer son malheur et obtenir leur pardon, telle fut alors sa vive préoccupation, et il se rassura lui-même sur le sort de M. de Savereux, qui était sans doute rentré au Louvre, pour s'autoriser à se rendre au faubourg Saint-Germain où logeait sa famille, plutôt que de retourner à l'hôtel de Béthisy où il logeait comme appartenant à la maison de l'amiral.

Il attendit encore quelques instants, en se promenant sur la rive, avec l'espoir d'être rejoint par Jacques de Savereux.

Il l'appela de nouveau à plusieurs reprises; mais les échos de la rivière lui répondirent seuls, et il se décida enfin à s'acheminer vers le faubourg Saint-Germain, qu'il voyait de l'autre côté de l'eau et qu'il devait atteindre par un long détour, faute d'une barque pour passer la rivière.

Il ne connaissait pas trop son chemin et il se dirigea pourtant à tout hasard vers le Pont-au-Change.

Ses cris avaient attiré deux *harquebutiers* de la garde du roi, qui s'approchèrent, la mèche allumée, et qui s'éloignèrent après l'avoir examiné en silence.

En arrivant près du Grand-Châtelet, vis-à-vis du pont, il tomba au milieu d'une troupe d'hommes armés, qui venaient de l'hôtel de ville, à petits pas et sans flambeaux: il fut entouré avant qu'il eût le temps de tirer son épée et de se mettre sur la défensive.

Les gens qui l'environnaient n'avaient heureusement pas une apparence très-formidable: c'étaient d'honnêtes figures de bourgeois, exprimant l'inquiétude plutôt que des intentions hostiles et menaçantes.

Quelques-uns même paraissaient remplis d'une émotion qui ressemblait à celle de la peur.

Les armes dont ils étaient chargés ajoutaient encore au comique de leur physionomie et n'annonçaient pas qu'ils voulussent en faire usage: l'un avait sur la tête un morion de fer bruni, l'autre un chapeau, celui-ci un bonnet, celui-là un vieux casque rouillé; qui succombait sous le poids d'un épieu; qui portait une arbalète hors de service; qui brandissait une épée à deux mains; qui faisait sonner sur son dos une arquebuse sans mèche; mais tous avaient des couteaux et des poignards.

Le chef de la bande, sans être plus guerrier que ses soldats, se distinguait du moins par un équipement plus militaire.

—Dieu vous garde, compère! vous êtes un des nôtres! dit ce chef.

Et il désignait de la main le mouchoir noué autour du bras de M. de Curson et la croix blanche attachée au chapeau que Jacques de Savereux avait laissé en échange du sien à ce gentilhomme.

Yves de Curson remarqua seulement alors le signe de ralliement, la croix blanche au chapeau et le mouchoir blanc au bras gauche, que portaient ces gens qu'il prenait pour une escouade du guet *dormant* ou milice bourgeoise.

Il s'aperçut que le hasard lui avait donné aussi le même signe de ralliement, et il eut la prudence de ne leur demander aucune explication à ce sujet.

—Vous semblez être un seigneur de la cour? dit le chef qui continuait à l'examiner: vous envoie-t-on à l'hôtel de ville?—Non, je m'en vais au faubourg Saint-Germain, répondit M. de Curson qui ne comprenait pas encore le danger de sa position.—Rien n'est-il changé aux ordres du roi? Nous avons vu monseigneur le duc de Guise qui s'en allait au Louvre...—M. de Guise est hors de Paris, reprit vivement Yves de Curson: il en est parti aussitôt après le crime de son domestique Maurevert...—Vous parlez comme un huguenot, dit un de la troupe: si l'amiral était mort, nous n'en serions pas là...—Silence! interrompit le capitaine qui avait beaucoup à faire pour retenir son monde sous les armes. Puisque vous venez du Louvre, je vous demanderai, monsieur, si l'horloge du palais sonnera bientôt le massacre: nous sommes las d'attendre!... Ce devait être pour le minuit; ensuite, pour une heure; après, pour deux heures, et maintenant...—Maintenant, dit quelqu'un qui devait être avocat, la cause est remise à huitaine pour être plaidoyée et entendue.— Qu'avait-on besoin de nous priver de sommeil, dit un autre, et de réduire nos femmes au désespoir?—On abuse, dit un troisième, de la bonne foi des gens de métiers, et l'on se joue de nous, m'est avis!—Ce beau massacre est encore retardé pour laisser le temps aux huguenots de ranimer la guerre civile!—Et ces vilains huguenots feront des catholiques ce que les catholiques voulaient faire d'eux!—Bonsoir, messieurs! dit le sire de Curson, qui s'était fait violence pour ne pas se déclarer protestant et pour ne pas manifester hautement son indignation. Quoi qu'il arrive, je vous souhaite d'estimer l'honneur plus que la vie!—Monsieur, je vous prie de raconter au roi ce que vous avez vu, dit le capitaine qui le suivit pour lui parler en particulier; je suis le libraire Kœrver, demeurant sur le pont Notre-Dame, à l'enseigne de *la Licorne*: j'ai rassemblé les meilleurs catholiques du quartier et leur ai fait jurer de n'épargner aucun huguenot, fût-ce leur père ou leur frère. — Il n'appartient qu'au Dieu d'Israël de vous juger et de vous punir! murmura M. de Curson, qui lui tourna le dos, pour n'avoir pas à tirer l'épée. Le Seigneur fasse que mes frères s'éveillent!

Il s'était jeté dans la première rue qui s'offrait à lui.

Il en traversa plusieurs au pas de course, sans se rendre compte de la route qu'il avait prise, avec le projet de gagner la rue de Béthisy, pour avertir l'amiral du complot tramé par les catholiques, complot dont il ignorait l'étendue, mais que lui faisait apprécier le mot de *massacre* employé par le quartenier Kœrver.

Il craignait que ce massacre ne commençât d'un moment à l'autre, avant qu'il eût appelé aux armes les capitaines de la religion.

Quelles étaient les victimes désignées? quels assassins avait-on choisis?

On avait nommé le roi et le duc de Guise! C'étaient donc eux qui dirigeaient cette sanglante machination.

M. de Curson tremblait de tout son corps et respirait à peine, sous l'empire des sentiments d'horreur, de trouble, d'anxiété et d'impatience, qui s'exaltaient en lui: il précipitait sa marche et il se sentait près de défaillir, de tomber suffoqué.

D'un pas et d'une minute dépendait peut-être le salut de ses co-religionnaires!

—O mon Dieu! disait-il au fond de son cœur: arriverai-je à temps! Où vais-je? où suis-je? Les meurtriers veillent et les victimes dorment! M. l'amiral ne soupçonne rien de l'infâme trahison... Et ma mère! et ma sœur!...

Il vint à songer au péril qui pouvait menacer deux têtes si chères, et aussitôt il s'arrêta.

Il faillit retourner sur ses pas et courir à la défense de sa mère et de sa sœur qu'il abandonnait; mais la voix de la religion lui rappela qu'il devait d'abord sauver la vie de ses frères en Jésus-Christ, car les femmes, pensa-t-il, seraient certainement respectées dans un massacre général.

C'était donc le massacre qu'il avait mission d'empêcher; c'était le chef suprême des protestants, l'amiral de Coligny, qu'il importait de prévenir.

Il se remit à courir dans la direction qu'il supposait propre à le ramener à l'hôtel de Béthisy; il passa et repassa, tout haletant, par bien des rues qu'il parcourait pour la première fois et qu'il cherchait en vain à reconnaître.

Épuisé, éperdu, désolé, il ne savait plus quel parti adopter, ni quelle route suivre, lorsqu'il crut se retrouver aux environs de la rue de Béthisy: les maisons, les enseignes des boutiques, un puits, une notre-dame à l'angle d'un carrefour, évoquent de vagues réminiscences dans sa mémoire; une lueur d'espérance brille à travers son découragement: il touche au but! il reprend ses forces, il va donc enfin arriver!...

Mais, au détour d'une rue, il voit devant lui la Bastille!

—Seigneur Dieu, murmure-t-il en pliant le genou et en joignant les mains, tu ne veux pas que je sauve tes fidèles!

Dans ce moment, deux heures sonnent aux horloges des églises et des couvents.

Les carillons, aux sons clairs et argentins, semblent se répondre joyeusement l'un à l'autre et forment un vaste concert, au milieu duquel la grosse cloche de Saint-Germain-l'Auxerrois s'ébranle et donne le signal du massacre.

VII

Jacques de Savereux n'avait pas dormi longtemps le long du mur où il s'était couché.

Yves de Curson ne fut pas plutôt éloigné, que le dormeur se préoccupa, au milieu de son sommeil, du silence qui se faisait autour de lui; car, tout en dormant, son oreille restait ouverte à la voix du gentilhomme qu'il avait pris sous sa sauvegarde, et qu'il s'imaginait conduire, quoiqu'il eût grand besoin d'être conduit lui-même.

Il entr'ouvrit les yeux, et il s'étonna de se voir seul.

—M. de Curson! cria-t-il à plusieurs reprises, d'une voix traînante et indistincte... Est-il allé jouer et boire sans moi!... ce serait félonie... Ohé! monsieur mon frère d'armes! m'avez-vous vilainement trahi et abandonné!... A boire, mignon!... Double!... six! double!... Bon! le voici qui s'en revient... Là, là... monsieur de Curson... arrêtez un peu, s'il vous plaît?... Attendez-moi!... Est-ce pas l'heure de descendre au Pré-aux-Clercs?...

Il ne pouvait venir à bout de se remettre sur ses jambes, et il retombait sans cesse plus lourdement, dès qu'il quittait l'appui de la muraille.

Maugréant et blasphémant à travers les hoquets vineux, il ne se décourageait pourtant pas dans son projet de rejoindre M. de Curson. C'était là une idée fixe qui dominait chez lui la torpeur de l'ivresse.

Enfin il réussit à se lever et à marcher en zigzags, dans la direction du Louvre, qu'il ne voyait pas cependant, et qu'il n'eût pas reconnu, lors même que quelques fanaux eussent éclairé le donjon et les tourelles de ce château qu'enveloppait une profonde obscurité.

Cet instinct de conservation, qui préside toujours à la destinée des ivrognes, l'empêcha de se jeter dans la rivière, du haut de la berge qu'il côtoyait.

Il fit beaucoup d'efforts et beaucoup de pas, mais fort peu de chemin, jusqu'à ce qu'il se trouvât au delà de la grande porte du vieux Louvre, qui regardait la tour de Nesle, et qui correspondait presque à la porte du Louvre actuelle, vis-à-vis du pont des Arts.

Son état d'ivresse n'avait pas diminué.

Il était, au contraire, tellement alourdi et assoupi, qu'il ne se souvenait plus du nom de M. de Curson, et qu'il cheminait à tâtons, comme un aveugle, sans but et sans dessein.

Un obstacle qu'il rencontra tout à coup sur la voie, le fit trébucher et culbuter assez rudement.

Il s'était heurté contre les corps de quatre soldats calvinistes qui avaient été tués à coups d'épée par les gardes des portes, parce qu'ils s'approchaient du Louvre pour épier ce qui s'y passait.

Jacques de Savereux ne se rendit pas compte de la nature de l'obstacle qu'il essayait vainement de surmonter; il crut avoir affaire à des gens qui lui barraient le passage, et il se mit à lutter avec ces cadavres, en les injuriant et en les frappant, sans s'apercevoir qu'on ne répondait ni à ses cris ni à ses coups.

—Dégainez, dégainez donc! criait-il en se démenant comme un possédé... Bélîtres, marauds, ânes galeux, couards! Que la peste, la teigne, la cacquesangue, la fièvre quarte vous prennent à la gorge!... Pour Dieu! je vous couperai les oreilles, mauvais garçons!... Holà! à moi, monsieur de Curson! frottez-les de votre épée, monsieur mon ami!... Bien! frappez dru, percez-les comme crible!... Encore! toujours!... Oh! que c'est gentiment travailler, cela!

Il se persuadait qu'Yves de Curson était accouru à son aide pendant que ses adversaires, après lui avoir lié les mains, se disposaient à le voler; car le son de quelques pièces d'or, qui s'échappèrent de ses poches, lui avait rappelé la grosse somme dont il était porteur. Il se mit aussitôt en devoir de la défendre avec furie.

Mais au lieu de recourir à son épée contre des ennemis imaginaires, ses deux bras, plongés jusqu'aux coudes dans les poches de ses trousses, y retenaient l'or qu'il avait gagné au jeu.

Ses mains, contractées et devenues insensibles, lui semblaient garrottées; l'ivresse et l'émotion paralysant toutes les forces de son corps, il ne tarda pas à se figurer qu'on attachait aussi ses jambes avec des cordes et qu'on lui bâillonnait la bouche.

Il n'avait plus de mouvement libre que celui de la tête, et il s'engagea, en rampant, sous ces corps morts et ensanglantés, qui, pesant sur lui de tout leur poids, avaient l'air de le terrasser.

Il s'agita dans tous les sens pour se délivrer de cette horrible étreinte, qu'il sentait se resserrer à chaque instant: grinçant des dents, écumant, haletant, il s'épuisait en convulsions désespérées, jusqu'à ce qu'enfin, réduit à une immobilité absolue, et presque étouffé par les cadavres, il ne put supporter davantage les angoisses du cauchemar épouvantable qui l'obsédait.

Il se crut au moment de mourir: il poussa des cris plaintifs, et s'évanouit en recommandant son âme et celle de son frère d'armes aux anges du paradis.

Les cris poussés par Jacques de Savereux avaient fait sortir du Louvre une escouade d'archers de la garde du roi, qui visitèrent les bords de la rivière.

Ils reconnurent les quatre premières victimes qu'ils avaient laissées sur la place, devant le balcon des appartements du roi, dans le nouveau Louvre; mais ils ne remarquèrent pas que le nombre des morts s'était augmenté d'un cinquième cadavre qu'on n'avait pas dépouillé à demi comme les autres.

Ils commencèrent à les larder avec leurs pertuisanes. Par bonheur, Savereux, qui ne fut pas atteint, put passer pour aussi mort que ses voisins.

—M'est avis que ce sont ces parpaillots qui hurlaient de se sentir damnés! dit un des archers en s'acharnant après eux.—Cinq cents charretées de diables! dit un second archer, désignant les jambes de Savereux, qui sortaient de dessous les corps où il était comme enseveli, voici un de nos galants qui a gardé ses chausses! Compte-t-il donc en faire usage à la cour de Belzébuth son maître?

Cet archer voulut s'emparer des chausses du prétendu mort; mais, en les tirant à lui, le morceau lui resta dans la main, tant elles étaient mûres et usées.

Il oublia les chausses pour courir ramasser deux écus d'or qui avaient roulé à quelques pas.

Ces écus d'or détournèrent l'attention des archers en excitant leur cupidité; c'était une trouvaille à laquelle ils voulaient tous avoir part: ils faillirent en venir à une lutte sanglante.

La fenêtre du balcon du roi s'ouvrit alors.

Deux pages, portant des flambeaux allumés, précédèrent sur la terrasse du balcon plusieurs personnages qui s'approchèrent de la balustrade pour regarder l'aspect de Paris.

Le reflet des flambeaux éclaira un visage pâle et sinistre, empreint du sceau de la fatalité, et bouleversé par de violentes passions aux prises avec la conscience.

A cette apparition, les archers, qui se houspillaient, s'enfuirent en désordre et rentrèrent dans le Louvre.

C'était Charles IX, accompagné de la reine-mère, de son frère le duc d'Anjou et de ses conseillers intimes, le duc de Nevers, Tavannes et le comte de Retz.

VIII

Le roi contemplait en silence la ville, qui paraissait illuminée comme pour une fête et qui était pleine de rumeurs indistinctes.

Soudain la grosse cloche de Saint-Germain-l'Auxerrois sonna.

—Qu'est cela? demanda Charles, qu'on eût dit éveillé en sursaut au son de cette cloche. Madame ma mère, ce n'est pas moi qui ai donné ordre?... —C'est moi, reprit Catherine de Médicis. Quand vous avez ordonné de purger le Louvre des gentilshommes huguenots qui y sont logés, j'ai ordonné de faire sonner la cloche des funérailles de l'amiral. Sire, vous serez royalement vengé, je vous assure, et déjà vous devez sentir que vous êtes vraiment roi. —Grand merci, madame, pour vos bonnes intentions à notre égard; mais le Seigneur Dieu m'est témoin que je me lave les mains de tout ce qui sera fait!... A-t-on bien avisé surtout à ce qu'il ne soit pas répandu de sang dans le Louvre, qui est la demeure inviolable des rois de France? —Selon votre commandement, sire, dit le comte de Retz, il y a peine de mort contre quiconque souillerait votre maison par un meurtre.

Un tumulte, d'abord vague et couvert, puis bientôt plus éclatant, régnait dans l'intérieur du Louvre.

Des clameurs lamentables et des cris menaçants retentissaient de toutes parts avec des cliquetis d'armes et d'armures. Les fenêtres s'ouvrirent et s'éclairèrent, en se garnissant de monde, surtout de femmes, qui attendaient un spectacle.

Dans les corridors et les galeries, dans les cours et les préaux, couraient des soldats, l'épée nue et la torche à la main; quelques coups de feu accusaient la résistance des victimes qu'on poursuivait ainsi, mais qu'on ne massacrait pas encore.

Enfin, la grande porte livra passage à ces victimes et à leurs bourreaux.

C'étaient les Suisses de la garde du roi et ceux de la garde du duc d'Anjou, qui avaient reçu mission de se saisir de tous les gentilshommes de la maison du roi de Navarre et de celle du prince de Condé.

C'étaient ces gentilshommes qu'on menait désarmés hors du Louvre pour les égorger!

Les Suisses se servirent de leurs armes contre leurs prisonniers, quand ils eurent passé le pont-dormant de pierre, auquel aboutissait la principale entrée du château; alors, en criant: *Tue! tue!* ils se précipitèrent sur les malheureux, qui criaient: *Grâce! merci!* en essayant de s'enfuir ou de se défendre.

Soit hasard, soit projet arrêté d'avance, on les poussait, l'épée dans les reins, jusqu'aux quatre cadavres qui avaient protégé Jacques de Savereux, toujours évanoui et presque ivre mort, et là on les frappait à coups de pique, de pertuisane, de dague et de pistolet.

Le roi assistait impassible à ce spectacle horrible, qu'on semblait avoir mis exprès sous ses yeux; mais sa mère, son frère et ses favoris encourageaient de la voix et du geste les assassins.

—Tuez! tuez! criait le duc d'Anjou, en applaudissant aux coups qu'il voyait porter.—Ce sont de vilains traîtres et faux méchants qui conspiraient contre le roi votre sire!—Ils s'étaient logés dans le Louvre, disait Catherine à haute voix, pour s'emparer de la personne du roi et régner en sa place!—Ainsi est déjouée et détruite la conspiration! reprenait le duc de Nevers. Ils voulaient exterminer les catholiques cette nuit même!

Les Suisses, échauffés déjà par le vin et par l'argent qu'on leur avait distribués, s'animèrent davantage à la vue du sang et à la nouvelle d'un complot contre le roi et les catholiques; ils s'excitaient l'un l'autre à redoubler de fureur et de cruauté, en se montrant les morts et en se disant:

—Ce sont ceux qui nous ont voulu forcer pour tuer le roi, notre bon et cher sire!... Tuons, tuons-les jusqu'au dernier!

Les gentilshommes qu'ils immolaient sans pitié avaient été arrachés de leur lit; quelques-uns, des bras de leurs femmes; plusieurs même s'étaient en vain réfugiés dans la chambre de leurs maîtres, le roi de Navarre et le prince de Condé, qui ne purent leur venir en aide.

Ils n'avaient donc aucun moyen de parer les coups qu'on leur adressait de tous côtés à la fois, et ils tombaient, criblés de blessures dont une seule eût suffi pour donner la mort.

Du moins, ils n'avaient pas le temps de souffrir; ils étaient déjà expirants lorsqu'on leur mutilait le visage, lorsqu'on leur coupait les mains. Ceux qui pouvaient se reconnaître avant d'être frappés mortellement, remettaient à Dieu le soin de les venger.

Les sieurs de Bourses, de Saint-Martin et de Beauvais, gouverneur du roi de Navarre, furent amenés ensemble, demi-nus, et rendirent l'âme en s'embrassant.

—Voici le capitaine de Piles! s'écria Charles IX.

Il désignait du doigt un seigneur richement vêtu, dont le regard fier et dédaigneux tenait en respect les meurtriers.

—Je vois qu'il faut mourir, dit le capitaine de Piles.

Il dégrafa son manteau brodé d'or et le jeta à un soldat qu'il aperçut en sentinelle sous le balcon du roi.

—Tiens, compagnon, prends ceci pour te souvenir du capitaine huguenot qui a si bien festoyé les catholiques devant Saint-Jean-d'Angely!

Un archer le perça d'outre en outre avec une grosse hallebarde et le renversa sur les autres.

La commisération des tueurs faillit s'émouvoir en faveur d'un beau jeune homme qui s'avançait d'un pas ferme entre deux archers et qui salua le roi avec une noble assurance, comme s'il n'était pas intéressé dans ce qui se passait autour de lui.

Charles IX le reconnut, et, se penchant en dehors de la balustrade, lui fit signe d'approcher.

Mais le jeune seigneur, dont la figure exprimait la douleur et l'indignation, montra d'une main le monceau de morts qu'il allait grossir, et leva le bras vers le ciel pour le prendre à témoin des assassinats qui seraient été commis.

Puis il porta vivement à ses lèvres l'écharpe de soie bleue, brodée d'or, qu'il avait sur sa poitrine.

Les Suisses avaient reculé en voyant le geste du roi, qu'ils regardèrent comme un ordre d'épargner cette victime.

—Gondrin, mon ami! lui cria Charles IX, je te prie d'abjurer, par amour de moi, et de te rendre catholique, ainsi que ton maître le roi de Navarre!—Sire! répondit le bâtard de Gondrin, baron de

Pardaillan, à qui le roi faisait cette prière, j'abjurerais peut-être, par amour de vous; mais je ne le puis, par amour de ma dame, qui est de la religion, et qui ne m'épouserait pas catholique. — Méchant, reprit le roi avec dépit, préfères-tu ta dame à ton roi! Elle est donc bien belle, cette Anne de Curson? — Ah! sire, c'est la plus gente damoiselle de la Bretagne... Mais, au nom de la justice, pourquoi ces meurtres abominables?... — Les huguenots ont tramé une déloyale conspiration pour m'ôter la vie et la couronne. Tu n'étais pas conspirateur, toi, Gondrin, qui jouais tantôt à la paume avec moi? Hâte-toi donc d'abjurer, mon cher fils, sinon je ne réponds de rien... Dis, n'es-tu pas bon catholique? — Point, sire; je suis fiancé à damoiselle Anne de Curson, et, comme tel, calviniste jusqu'au bûcher, s'il le faut!

A ces mots, un archer lui asséna sur la tête un coup de pertuisane, et l'ayant fait tomber à genoux, étourdi, aveuglé par le sang qui lui coulait dans les yeux, le frappa tant qu'il ne le crut pas mort, malgré les cris de Charles IX.

Ce prince, voyant que Gondrin, confondu dans la foule des morts, ne donnait plus signe de vie, se cacha le visage entre les mains, et resta quelques instants absorbé dans ses regrets.

Plus de quatre-vingts gentilshommes avaient été massacrés et gisaient en un seul tas qui atteignait presque à la hauteur du balcon.

Des bourgeois, que le bruit des armes à feu, les cris des meurtriers et des victimes, la lueur des torches et le tocsin de Saint-Germain-l'Auxerrois avaient fait sortir de leurs maisons, se hasardèrent sur le théâtre du massacre, et le quittèrent en criant que les huguenots avaient tenté de forcer le Louvre et de tuer le roi.

Cette calomnie se répandit en un moment par toute la ville, où l'on n'attendait que le signal de l'horloge du palais pour commencer le massacre, qui ne s'était pas encore étendu hors du quartier du Louvre.

C'était dans ce quartier, autour de l'hôtel de Béthisy, où demeurait l'amiral, que les gentilshommes du parti calviniste avaient pris aussi leurs logements. Une sourde rumeur, venant de ce côté, témoignait que le duc de Guise, le principal ordonnateur de la Saint-Barthélemy, n'en avait plus retardé l'exécution.

Tout à coup une fusée partit du haut du clocher de Saint Germain l'Auxerrois, et décrivant en l'air une courbe lumineuse, vint s'éteindre dans la Seine, en face du Louvre.

—Sire, l'amiral n'existe plus pour votre ruine et celle du royaume! s'écria Catherine de Médicis: remerciez Dieu et le duc de Guise qui vous en ont délivré.

Au même instant, la grosse cloche du palais sonna en carillon, et ses joyeux tintements se mêlèrent aux solennelles vibrations du tocsin de Saint-Germain-l'Auxerrois.

Aussitôt, une immense clameur, formée de mille cris, s'éleva, en grandissant, de tous les points de la ville.

Chaque rue, chaque maison avait ses assassins et ses victimes: celles-ci essayaient de fuir plutôt que de se défendre. Les premiers, qui semblaient en proie à une sorte de vertige, n'eussent pas fait quartier ni à un parent ni à un ami. On égorgeait de sang-froid des vieillards, des femmes et des enfants, parce que les enfants, les femmes et les vieillards étaient au nombre des égorgeurs.

—N'y a-t-il plus de huguenots au Louvre? demanda le roi au capitaine de Losse, qui avait été préposé à ces préliminaires du massacre général. — Un seul, le sire de Léran, a été sauvé par madame Marguerite, qui a promis de le rendre catholique. Il ne reste que le roi de Navarre et le prince de Condé... — Sire, venez, interrompit la reine mère: voici qu'on vous apporte en don la tête de l'amiral de Coligny. — Ah! nous avons hâte de la voir! s'écria Charles IX avec une joie farouche; mais c'est un don qui ne m'appartient pas et que j'enverrai à notre très-saint père le pape.

Il quitta le balcon avec sa suite et alla dans ses appartements recevoir le trophée sanglant que Besme lui apportait de la part du duc de Guise.

Le sire de Losse, dès que le roi se fut retiré, fit rentrer les Suisses de la garde dans le Louvre, dont les portes furent closes et qui ne sembla prendre aucune part à la tuerie organisée dans toute la ville.

On aurait pu croire que le massacre n'était pas allé jusqu'au séjour du roi, si un amas considérable de morts ne fût resté sur la grève, en témoignage du contraire. La Saint-Barthélemy avait commencé là.

IX

Parmi cet amas de morts, il y avait pourtant deux vivants:

Le baron de Pardaillan, qui respirait encore, atteint de plusieurs blessures mortelles;

Jacques de Savereux, qui n'était pas sorti de son évanouissement, quoique à demi étouffé par le poids des cadavres avec lesquels on l'avait confondu.

Le manque d'air lui redonna la conscience de son existence, et il revint à lui par degrés, en faisant des efforts prodigieux afin d'écarter le fardeau qui gênait sa respiration: il fut assez heureux pour ramener sa tête à l'air libre et pour dégager un peu sa poitrine.

Son ivresse avait sensiblement diminué par l'effet de cette espèce de léthargie qui s'était emparée de tous ses sens et de toutes ses facultés; il rouvrit les yeux et les referma d'abord avec effroi, en ne rencontrant que des figures grimaçantes et ensanglantées qu'il prit pour les bizarres créations du sommeil.

Mais en ouvrant les yeux une seconde fois et en les tenant bien ouverts, bien fixes sur les objets qui l'entouraient; mais en avançant la main pour les toucher, il s'assura qu'il était éveillé.

Le reste des fumées du vin qui obscurcissaient son cerveau fut dissipé subitement.

Il ne pouvait toutefois se rendre compte des circonstances qui l'avaient mis au nombre des morts, et il ne s'expliquait pas davantage comment ces morts avaient été entassés à deux pas du Louvre. Il supposa quelque rixe, quelque duel, et il se demanda s'il ne s'était pas battu comme second du sire de Curson avec les convives du capitaine de Losse: c'était un souvenir vague qui surnageait dans sa mémoire.

Mais il reconnut que son épée était encore dans le fourreau, et il se rappela que la rencontre convenue devait se faire le lendemain au Pré-aux-Clercs.

Après un premier moment d'hésitation, où ses pensées eurent peine à suivre un cours régulier, il songea sérieusement à se tirer de la mare de sang dans laquelle il était couché.

Il fit tant des pieds et des mains, qu'il parvint à s'ouvrir un passage à travers les cadavres.

Il allait se trouver dégagé tout à fait, lorsqu'il fut arrêté par un bras qui ne pouvait appartenir qu'à un vivant.

En même temps, un soupir et des paroles entrecoupées le convainquirent que tout n'était pas mort dans ce monceau de corps inanimés.

—Holà! dit-il à voix haute, qui donc geint ici? Est-il quelqu'un qui vive encore et qui soit en état de venir avec moi?—Silence, au nom de Dieu! lui répondit-on à voix basse. S'ils vous entendent, ils s'en vont retourner au carnage, et c'en est fait de nous!—Eh! qui sont ceux-là, je vous prie, qui retourneraient pour nous mettre à mal? demanda Jacques de Savereux, en parlant plus bas.—Ceux qui nous ont laissés pour morts! dit la voix qui semblait près de s'éteindre par suffocation.—Des voleurs de nuit? des reîtres? Sur mon âme! je ne sais rien de ce qui s'est passé... Je ne suis pas mort ni endormi, m'est avis?—N'êtes-vous pas grièvement blessé, comme je le suis?—Je ne m'en aperçois pas, et blessé ou non, je me sens capable de jouer de l'épée galamment. Mais pourquoi cette tuerie?—Vous êtes bien malade, si vous n'avez plus nul souvenir de ces horreurs! Assommés et massacrés par les Suisses de la garde du roi, sous les yeux de Sa Majesté et de la reine sa mère!—Sous les yeux du roi! s'écria Savereux.

Il leva la tête, en écoutant le tocsin, les cris, les coups de feu qui se mêlaient dans les airs.

—Met-on la ville à sac? demanda-t-il.—Ce beau massacre n'a pas commencé pour s'arrêter, et je me console de mourir, en pensant que je ne verrai pas les meurtres de cette fatale nuit!—On se bat par les rues! reprit Savereux qui voulut se mettre debout et qui fut encore retenu par son voisin.—Ne bougez, mon ami! sinon, vous êtes mort sans rémission!... Mais, vraiment, vous ne fûtes pas même blessé!—Je le crois maintenant... Le grand diable me baille les étrivières, si je comprends comment je me trouve là!... Vous n'étiez pas du souper chez le capitaine de Losse? Vous n'avez point rencontré M. de Curson?...—M. de Curson? interrompit la voix qui parut se raffermir: où est-il? A-t-il pu échapper à la boucherie? A Dieu plaise!—J'ignore ce qu'il devint depuis que je l'ai quitté: nous avons soupé, bu et joué ensemble, si bien que je suis devenu son frère d'armes.—Vous! reprit la voix qui sembla défaillir, tandis que du milieu des morts se dressait une tête toute couverte de sang. Votre nom? — Jacques de Savereux, gentilhomme périgourdin, le plus beau joueur de dés et de cartes, le plus triomphant buveur qui soit en cour. Et vous? — Bâtard de Gondrin, baron de Pardaillan, gentilhomme de la chambre du roi de Navarre! — Par la messe! je ne vous aurais pas reconnu en ce piteux état, vous, le glorieux baron de Pardaillan, favori de monseigneur Henri de Bourbon!

La voix s'était tue, et Savereux attendit en vain une réponse.

Cette tête défigurée, qui s'était levée devant lui, venait de retomber parmi les morts; mais il la distingua entre toutes au masque de sang qui la couvrait et à l'horrible blessure qui avait fendu le crâne jusqu'aux sourcils.

Le baron de Pardaillan gisait sans mouvement; néanmoins, son pouls battait toujours et ses mains conservaient un peu de chaleur.

Savereux n'hésita pas à lui donner des secours empressés: il l'enleva doucement de ce lit de cadavres et le porta près du bord de l'eau.

Là, il lui lava le visage et se servit des lambeaux de sa chemise qu'il déchirait pour arrêter le sang de trois blessures dont la moindre était mortelle.

Ensuite Savereux chercha dans son esprit le moyen de compléter sa bonne action en procurant au blessé les soins nécessaires: il ne voyait que le Louvre où l'on pût trouver ces soins que l'humanité ne refuse jamais à quiconque les réclame.

Pardaillan lui en avait dit assez pour le mettre en défiance à l'égard de l'accueil qu'on leur ferait au Louvre cette nuit-là: non pas qu'il ajoutât foi aux étranges déclarations de Pardaillan, accusant le roi et les catholiques de trahison et d'assassinat; il supposa seulement qu'une querelle s'étant élevée entre les gentilshommes huguenots et catholiques, des morts et des blessés étaient restés sur le terrain.

Cependant il s'étonnait, il s'effrayait de la situation de Paris.

Ces cris n'étaient pas des cris de joie; ces coups de feu, des réjouissances publiques; ce tocsin, une sonnerie de fête.

Que se passait-il donc d'extraordinaire, de terrible?

Il ne pouvait s'empêcher de craindre une grande catastrophe.

Pardaillan n'avait pas repris ses sens.

Savereux l'interrogeait en vain, dans l'espoir d'obtenir des renseignements plus explicites, lorsqu'une troupe d'hommes armés et de populace descendit du cloître Saint-Germain-l'Auxerrois vers la Seine, avec des torches, en vociférant.

Savereux ne balance pas à marcher droit à eux, après avoir tiré son épée.

Ce sont des soldats qui traînent par les pieds un corps sans tête, souillé de fange et de sang: un hideux cortége de misérables en haillons s'agite et se presse autour de ces restes méconnaissables que chacun veut contempler et outrager à son tour.

—Au gibet, l'amiral! crient ces forcenés. Allons le pendre à Montfaucon! Il sera mieux fêté au pilori des Halles! Oh! le méchant païen! Mort aux huguenots! Pas de trêve, pas de rémission! Tuons! tuons! Morte la bête, mort le venin! C'est donc là ce grand ennemi de la messe? Brûlons sa charogne hérétique!

—Salaboz, est-ce pas vous qui avez fait cette belle expédition? demanda Savereux, apercevant ce capitaine qui avait beaucoup à faire pour défendre le cadavre qu'on voulait lui arracher. L'amiral est-il bien mort?—Que vous en semble? repartit Salaboz, en se retournant d'un air menaçant vers l'inconnu qui l'avait interpellé par son nom.—Çà, qui es-tu? dit à Savereux un des plus exaltés de la bande, en lui présentant la pointe d'une dague. Crie: *Vive la messe!* sinon, au diable ton patron!—Ah! c'est vous, monsieur de Savereux! s'écria Salaboz.

Et, courant à lui, il le dégagea des mains de ses adversaires que ce gentilhomme n'eût pas écartés aisément à coups d'épée.

—Si je comprends rien à ce qui se passe, je veux être condamné à ne boire que de l'eau et à ne toucher onc cartes ni dés!—Vous avez pourtant noblement fait votre devoir? dit Salaboz qui le voyait tout couvert de sang: combien en avez-vous tué déjà?—J'en ferai un jour le compte, pour vous l'apprendre... Mais qui sont ceux-là qu'il faut tuer?—Tous ceux qui sont huguenots avoués ou cachés, tous ceux qui ont en haine le pape, le roi et le duc de Guise, tous ceux enfin qui vous paraîtront bons à occire!—Vrai Dieu! capitaine Salaboz, je ne me pique pas d'être si fervent catholique, et je vous laisse la meilleure part de cette tuerie!

Jacques de Savereux, indigné et attristé de ces excès de fanatisme religieux, auxquels il ne se sentait pas capable de s'associer, tourna le dos à Salaboz et regagna lentement le bord de la rivière où il avait laissé Pardaillan sans connaissance.

Savereux avait jusqu'alors partagé les passions hostiles des catholiques à l'égard des protestants, non par raisonnement et par conviction, mais par habitude car il était à peine suffisamment chrétien, au baptême près. Il aurait donc pu, cette nuit-là, dans toute autre situation d'esprit, suivre sans réflexion l'exemple de ses compagnons ordinaires de jeu et de débauche, croire à la justice d'un massacre général des huguenots ou du moins l'autoriser par des raisons divines et humaines, se mêler avec un aveugle emportement à l'exécution de ce vaste complot et se plaire comme Salaboz à répandre un sang maudit.

Les circonstances, au contraire, dans lesquelles il venait de se trouver, avaient réagi fortement sur sa manière de voir et de sentir, à tel point que la cause des huguenots lui parut alors la plus juste et qu'il sympathisa dès ce moment avec elle.

La générosité et la franchise de son caractère le prédisposaient d'ailleurs à ce revirement d'opinion en présence d'une trahison aussi lâche que criminelle: il aurait compris une lutte finale entre les deux partis qui divisaient la France, et dans ce cas il n'eût pas songé à quitter son drapeau, ni même à examiner de quel côté était le bon droit; mais il aurait voulu que cette lutte se fît au grand jour, avec partage égal de terrain et de soleil, comme un duel à mort réglé par les lois de la chevalerie.

Il se promit donc de rester neutre et de ne pas tremper dans l'odieuse perfidie des catholiques.

Ce fut sous l'influence de ces impressions qu'il retourna auprès du baron de Pardaillan.

Il ne le connaissait que pour l'avoir vu jouer à la paume et au mail, que pour l'avoir entendu vanter comme un brave et digne gentilhomme; il se souvenait surtout, ainsi qu'on se souvient d'un rêve, de cette belle dame qui, la nuit même, était venue à cheval, suivie d'un valet, et qui avait prononcé le nom de Pardaillan.

Ces motifs n'eussent peut-être pas suffi pour déterminer Savereux à s'attacher à la fortune de ce capitaine huguenot, qu'il avait rencontré demi-mort gisant auprès de lui; mais la conformité de leur sort pendant cette nuit sanglante lui semblait un lien qu'il ne devait pas rompre: aussi bien, Pardaillan était-il dans un état à ne pas permettre qu'on l'abandonnât sans inhumanité.

Pardaillan ne fit aucun mouvement et ne rouvrit pas les yeux lorsque Savereux se pencha vers lui; mais il respirait encore, et le sang ne coulait plus de ses blessures.

—Eh! monsieur de Pardaillan! lui cria dans l'oreille Jacques de Savereux: il ne fait pas bon ici pour vous!... Ne sauriez-vous pas marcher, en vous aidant de mon bras?—Vous êtes catholique? reprit Pardaillan, avec un accent de douloureuse résignation: tuez-moi ici plutôt qu'ailleurs, je vous prie!—Vous tuer? Bon! pourquoi vous tuerais-je? repartit Savereux, offensé de ce soupçon qu'il n'avait pas mérité: j'empêcherais plutôt qu'on ne vous tuât!—Vous n'êtes donc pas catholique? Ce n'est donc point vous qui parliez tout à l'heure aux meurtriers?—Je ne puis et ne veux être catholique ni huguenot; je suis gentilhomme, et à ce titre je vous dois assistance et protection, puisque vous êtes gentilhomme.—Voilà un beau et fier langage, dit Pardaillan. Je vous prie désormais de me tenir pour votre frère et ami.

Et il lui tendit la main.

—Soit! répliqua Savereux en acceptant la main qui lui était offerte. Il s'agit de vous tirer de là et de vous mettre en lieu sûr.—Si je pouvais seulement passer la rivière et me rendre au faubourg Saint-Germain, avant que je meure!—Vous ne mourrez pas, si vous voulez être mon frère et mon ami! Aurez-vous pas la force de vous jucher sur mes épaules, pendant que je nagerai?...—Ce serait vous noyer avec moi! Écoutez: mieux vaut me laisser à cette place jusqu'à ce qu'on puisse me venir prendre en bateau, mort ou vif; et vous, qui avez si bonne envie de me servir, vous ferez plus que me sauver la vie: vous passerez la rivière à la nage et irez au faubourg Saint-Germain, à l'hôtel de Genouillac, près la porte Bussy...—Imaginez que j'y suis déjà, et dites ce que je dois faire... Cordieu! Voici des gens qui se sauvent de tous côtés en nageant...—Portez toutefois cette écharpe pour témoigner que vous venez de ma part; or, l'ayant remise aux mains de damoiselle Anne de Curson...—Anne de Curson! s'écria Savereux avec une émotion indéfinissable.

—Est-elle pas parente du jeune sire de Curson?

—Oui, vraiment, c'est sa propre sœur, et n'était cette malencontreuse nuit, je l'eusse épousée demain.

Jacques de Savereux n'en écouta pas davantage, et sans communiquer son projet au baron de Pardaillan, il se jeta dans l'eau tout habillé, nagea vigoureusement vers l'autre rive et atteignit la barque du passeur, amarrée à un pieu: s'élancer dedans, détacher l'amarre, s'emparer des rames, tout cela se fit en quelques secondes, malgré les cris du passeur qui était sorti de sa cabane.

Au bout de dix minutes d'absence, Savereux était de retour auprès du blessé qu'il enlevait entre ses bras et qu'il transportait dans la barque.

Il se mit à ramer avec ardeur:

—Ah! quel noble cœur vous êtes! murmura Pardaillan: moi qui vous accusais de m'avoir abandonné!—Vous abandonner! reprit Savereux avec étonnement; ne vous avais-je pas dit que j'étais le frère d'armes de votre futur beau-frère, Yves de Curson?

La rivière était couverte de corps morts qui flottaient entre deux eaux et de blessés qui s'enfuyaient à la nage: quelques-uns essayèrent de s'accrocher au bateau, mais Savereux les repoussa avec les rames, dans la crainte qu'ils ne fissent chavirer la frêle embarcation.

Dans ce moment, le roi reparut sur le balcon du Louvre, avec des torches, pour contempler la Seine teinte de sang. Plusieurs coups d'arquebuse partirent de ce balcon, dirigés contre les fugitifs qui passaient l'eau.

Une balle siffla aux oreilles de Savereux qui reconnut le roi et ses favoris comme les auteurs de ces arquebusades.

—Dieu me damne! s'écria-t-il. Le roi de France très-chrétien tire à la cible sur ses pauvres sujets! Certes, j'ai honte d'être catholique.

La barque touchait la rive: il se trouvait hors de la portée des balles; mais lorsqu'il s'apprêtait à descendre à terre le blessé, il fut forcé de mettre l'épée à la main, pour tenir en respect le passeur qui le menaçait d'un coup de croc.

— Holà! compère, lui dit-il d'un ton d'autorité: lequel préfères-tu des deux, ma rapière dans ton ventre ou cinq cents écus d'or dans ta bourse? — Cinq cents écus d'or! répéta le passeur qui ne pensa plus à s'opposer à l'abordage. Que veut-on de moi?

— Que tu m'aides à mener ce gentilhomme jusques à l'hôtel de Genouillac près la porte Bussy. Mais pour te rendre sûr que tu seras payé de la somme promise, voici que je te paye d'avance sans compter. — O mon frère! mon ami! murmura Pardaillan oppressé par la reconnaissance. Je m'en vais donc revoir Anne avant que de mourir!

X

Près de la porte Bussy, qui séparait la rue Saint-André-des-Arcs du faubourg Saint-Germain-des-Prés, et qui était située vis-à-vis de la rue Contrescarpe actuelle, s'élevait une vieille maison dite l'hôtel de Bussy, parce que Simon de Bussy, conseiller du roi, au quatorzième siècle, y avait logé: ses héritiers avaient vendu cet hôtel à la noble famille de Genouillac, qui lui donna son nom.

A cette époque, chaque famille noble possédait à Paris un hôtel, qu'elle n'occupait presque jamais, mais où elle attachait son nom et ses armes. C'était d'ailleurs un lieu de séjour prêt à recevoir les propriétaires ou leurs parents et amis, lorsqu'ils se rendaient dans la capitale, afin de ne pas descendre en quelque auberge, comme un voyageur étranger, de médiocre condition.

Le sire de Genouillac avait donc offert les clés de sa maison de Paris à la baronne de Curson qui venait de Bretagne pour marier sa fille au baron de Pardaillan.

Dans une grande salle du premier étage, la dame de Curson, assise, droite et immobile, sur une chaise haute et massive en bois de châtaignier, écoutait la voix grave et solennelle d'un ministre protestant, maître Simon de Labarche, qui lui lisait la Bible.

Ils étaient tous les deux tellement absorbés, l'un par la lecture, et l'autre par l'audition, qu'ils ressemblaient à deux statues, n'eût été le mouvement que faisait la main du ministre en tournant la page du livre.

La lumière de deux grosses chandelles de cire jaune dans de lourds flambeaux d'argent, éclairait faiblement cette scène nocturne, à laquelle prêtaient d'étranges reflets la tenture de la chambre en cordouan ou cuir doré et gaufré, et les vitraux peints des fenêtres ogivales.

Le silence et l'obscurité régnaient au dehors.

On n'entendait par intervalles que le pas du veilleur de nuit, qui se promenait le long de la plate-forme des tours de la porte de Bussy.

Par intervalles aussi, une lueur errante traversait le vitrail et s'y colorait avant de tomber sur le plancher couvert de nattes ou de monter aux lambris armoriés du plafond: c'était le passage d'un piéton ou d'un cavalier précédé d'un porteur de torche.

En ce moment, le ministre lisait l'histoire de Joseph vendu par ses frères:

«Et ils prirent la robe de Joseph, et ayant tué un bouc d'entre les chèvres, ils ensanglantèrent la robe. Puis, ils adressèrent à leur père cette robe ensanglantée, en lui faisant dire: «Nous avons trouvé ceci; connais maintenant si c'est la robe de ton fils ou non.» Et il la connut et dit: «C'est la robe de mon fils; une bête féroce l'a dévoré; assurément Joseph est mort.» Ce disant, Jacob déchira ses vêtements, se ceignit d'un sac et mena deuil sur son fils plusieurs jours durant.»

—Ah! maître Simon! murmura la dame de Curson, avec un accent lamentable: mon fils est mort et aussi ma bien-aimée fille Anne!— D'où vous vient cette mauvaise pensée, madame? répondit le ministre, d'un ton de réprimande: le Dieu d'Israël n'est-il pas toujours là pour protéger les siens?—Il fera tantôt jour, et Anne n'est point revenue! Voilà quatre heures et plus qu'elle partit à cheval, accompagnée de notre vieux Daniel!—La faute en est à vous, qui l'avez laissée partir. Est-il sage et convenable qu'une damoiselle noble, de son âge et de sa beauté, s'en aille chevaucher par les rues de la ville en pleine nuit? Vous avez péché par imprudence, madame, et maintenant vous portez la peine du péché, qui est l'angoisse.—Eh! maître Simon, je n'étais pas moins inquiète qu'elle-même à l'endroit de mon fils: il est trop enclin aux passions et voluptés de ce monde...—Je m'en suis maintesfois affligé avec vous; messire Yves ne sait se défendre des attraits diaboliques de la sensualité; il se livre volontiers au libertinage, à la débauche, au jeu, comme ferait un catholique. Je l'ai prêché et admonesté là-dessus, sans qu'il fasse état de s'amender. Hier encore, je lui conseillais de fuir la compagnie des papistes qui ne peuvent que l'induire à mal; ainsi, hante-t-il un certain capitaine de Losse, qui l'excite à boire et à jouer...—Dieu me le rende, ce pauvre et cher enfant! murmura la dame de Curson, en joignant les mains et en les élevant au ciel.—Dieu vous le rende pur et immaculé, car autant vaut perdre la vie, que la souiller au bourbier du vice. C'est affaire aux papistes que de se libérer du remords et de la pénitence par une absolution. Le péché ne s'efface que par la réparation; après le scandale, il faut le bon exemple...—Où croyez-vous qu'elle puisse être? demanda la dame de Curson, qui suivait son idée à travers les pieuses réflexions du ministre. — Nous devons remercier la divine Providence qui se déclare pour ceux de la religion, continua le ministre; mais c'est de l'aveuglement et de l'ingratitude que d'imaginer que la paix nous est donnée pour banqueter, jouer aux dés et aux cartes, tenir propos dissolus et vivre en papisterie. Le bienfait de la paix mérite d'être mieux employé: il importe de faire l'aumône, de pratiquer les bonnes œuvres, de méditer la sainte Écriture, d'assister aux prêches... — Oyez, oyez! s'écria la dame de Curson.

Elle étendait le bras dans la direction du Louvre, qu'on distinguait dans le lointain, comme une masse noire dominant les toits des maisons.

— Quel est ce son de cloche? ce n'est pas la cloche des matines, ni celle de l'angelus: c'est le tocsin! — Le tocsin? reprit le ministre sans s'émouvoir et sans quitter sa place. Il y a tant de cloches en cette ville, qu'on ne peut comprendre ce qu'elles disent. Les papistes ne se contentent de sonner leurs messes: ils sonnent vêpres, complies, matines; ils sonnent les mariages, les baptêmes, les morts... — Les morts! c'est le jour des Morts! répéta la dame de Curson, dominée par ses pressentiments: oyez ces cris, ces arquebusades, et par-dessus tout le tocsin! — La volonté de Dieu soit faite en tout temps et en tous lieux! répliqua tranquillement le ministre. Ne vous plaît-il pas, madame, d'achever notre lecture? — Mon fils! ma fille! criait avec désespoir la pauvre mère.

Elle s'était élancée vers la fenêtre ouverte et fixait à l'horizon ses regards obscurcis de larmes.

— Où sont-ils, où sont-ils, grand Dieu! Le tocsin, toujours le tocsin!... On se bat, on tue, on meurt!... Absents l'un et l'autre!... Si je savais du moins les revoir! — C'est Dieu qui le sait, madame, et je vous invite à l'intercéder dans vos prières, pour qu'il vous ramène sains et saufs ceux que vous pleurez!

La dame de Curson, accablée de douleur, obéit à ce conseil qui lui permettait de se concentrer dans la pensée de ses enfants.

Ses genoux fléchirent d'eux-mêmes et elle tomba prosternée, les yeux fixés vers le point éloigné d'où s'élevait le tumulte qui paraissait grandir et s'étendre à chaque instant; ses mains étaient crispées l'une dans l'autre, plutôt que jointes pour prier; elle ne priait pas, elle n'entendait pas seulement maître Simon priant à haute voix auprès d'elle; mais elle offrait à Dieu sa propre vie en échange de celles d'un fils et d'une fille que son imagination maternelle lui représentait exposés aux plus grands périls.

Elle resta écrasée sous le poids de l'anxiété qui la dévorait, écoutant, regardant, attendant toujours.

C'était un touchant spectacle que cette vieille dame agenouillée, ou plutôt affaissée sur elle-même, semblable à une condamnée devant le billot, tandis qu'à ses côtés, le ministre protestant, vieillard chétif, au visage maigre et pâle, aux yeux vifs et ardents, au crâne chauve et blanc, aux mains sèches et jaunes, se fortifiait par la prière et s'animait au martyre.

La dame de Curson avait arraché sa toque de velours noir pour mieux prêter l'oreille à tous les bruits, et ses cheveux blancs, réunis d'ordinaire en grosses touffes bouclées sur les tempes, s'étaient déroulés et battaient ses joues inondées de larmes.

L'aspect de son désespoir était encore plus saisissant, à cause de son costume de laine noire, analogue à celui d'une religieuse, costume que la reine Catherine de Médicis avait imposé aux veuves depuis la mort de Henri II.

Mais ce corsage plat terminé en pointe, cette robe longue à larges plis, ce manteau traînant jusqu'à terre avec un collet relevé en éventail à partir des épaules, ce n'étaient pas ces formes et cette couleur sévère de vêtements qui pouvaient changer l'expression de douceur et de bonté empreinte sur sa noble physionomie.

Pour être veuve, elle n'en était que plus mère.

Tout à coup elle se lève.

Elle s'élance au balcon, elle se penche en avant pour distinguer dans l'ombre des rues un objet qu'elle a pressenti: ses prunelles rayonnent, sa bouche s'agite entr'ouverte, sa respiration est suspendue, son cœur bat avec violence!

Elle a reconnu le trot d'un cheval sur le pavé.

Ce trot s'accélère en approchant de la porte de Bussy.

XI

Cependant une inexprimable confusion s'est répandue dans la ville entière.

Les cloches sont en branle dans tous les clochers et accompagnent à la fois le tocsin de Saint-Germain-l'Auxerrois et le carillon de l'horloge du palais.

Les coups de feu éclatent dans chaque rue et dans chaque maison; des cris de grâce se mêlent aux cris de mort.

La lugubre clarté des torches se promène çà et là, comme si l'incendie allait succéder au massacre. Déjà le jour commence à poindre et le ciel se colore à l'orient.

Mais la dame de Curson n'entendait qu'un trot de cheval, qu'elle a pu suivre entre tous les bruits.

Bientôt elle croit voir, elle voit ce cheval dans la rue Saint-André-des-Arcs; elle appelle Yves, elle appelle Anne!

Deux voix ont répondu à chacun de ces deux appels, qu'elle réitère avec moins de force et plus d'émotion pour s'assurer qu'elle n'est point abusée par une illusion de son cœur.

—C'est lui! c'est elle! ce sont eux! s'écrie-t-elle dans une joie indicible: ô mon Dieu, mon Dieu! que béni soit son saint nom!

Elle se précipite, elle franchit l'escalier, elle arrive à la porte de la rue, elle en pousse les lourds verrous, elle tourne l'énorme clé dans la serrure avec autant de facilité qu'une main vigoureuse aurait su le faire: l'amour maternel a doublé ses forces.

Mais, une fois dans la rue, elle est encore séparée de ses enfants par un obstacle imprévu contre lequel ses efforts ne peuvent rien.

La porte de Bussy, qui se ferme au couvre-feu, ne se rouvre qu'à cinq heures du matin; les clés des serrures du côté de la ville sont en dépôt chez le quartenier; les clés des serrures du côté du faubourg, chez le prévôt de l'Abbaye de Saint-Germain-des-Prés.

Ces serrures ont été disposées de manière à empêcher un nouveau Périnet-Leclerc de livrer l'entrée de la ville à l'ennemi, et les portes, rétablies par François Ier, sont assez épaisses et assez bardées de fer pour ne céder qu'à l'artillerie.

Comment madame de Curson rejoindra-t-elle ses enfants? comment ceux-ci rentreront-ils dans l'hôtel de Genouillac, qui les mettrait du moins en sûreté?

La dame de Curson frappe de ses deux poings contre la porte massive; elle crie, elle intercède, elle demande qu'on ouvre cette porte, elle promet une forte récompense à qui lui viendra en aide.

Mais le veilleur s'est enfui au bruit du tocsin et des arquebusades; les habitants du voisinage se tiennent renfermés chez eux, inquiets et tremblants: le faubourg et les quartiers contigus sont encore tranquilles et comme étrangers à ce qui se passe dans Paris.

C'est alors que Yves de Curson et sa sœur se présentent devant la porte de Bussy, et, sans descendre de la monture qui les amène tous deux, annoncent leur arrivée par un cri de joie.

—C'est vous, Anne, Yves? c'est vous, mes très-chers enfants! criait la dame de Curson, qui essayait toujours avec ses faibles mains d'ébranler cette porte que sa voix traversait à peine. Ne vous est-il rien arrivé? êtes-vous tous les deux sains et saufs? — Pas de cri, pas de bruit, madame ma mère! répondit Yves de Curson. Avisez seulement à ce qu'on ouvre cette porte! — Les clés sont, d'une part, chez le prévôt de l'Abbaye, et, d'autre part, chez le quartenier du quartier Saint-André-des-Arcs, objecta tristement le vieux Daniel. Il eût fallu, comme je le voulais, sortir de la ville par la porte Saint-Michel, qui est ouverte la nuit comme le jour, et rentrer au faubourg par la porte Abbatiale. — Oui, bien, si la rue de la Harpe n'était pas déjà en émotion! reprit le jeune homme, qui se consultait dans son for intérieur pour prendre un parti. — Qu'est-ce qui se passe? demanda la dame de Curson. La ville est-elle au pillage? Qui sont les ennemis? Pourquoi ce grand tumulte? — Ne voyez-vous pas quelque expédient pour ouvrir cette porte? interrompit Yves de Curson; si la chose est possible, ne tardez guère; sinon, retournez en votre logis, éveillez vos gens, barricadez portes et fenêtres, tenez-vous en défense, jusqu'à ce que je revienne par un autre chemin. — Madame ma mère, dit Anne d'une voix tremblante, M. de Pardaillan n'est-il point auprès de vous pour vous défendre? — M. de Pardaillan? répondit la dame de Curson; je ne l'ai point vu et ne l'attends pas avant l'heure fixée pour vos épousailles. — Ah! vous m'avez trompée, Yves, en m'assurant que je trouverais ici M. de Pardaillan! s'écria la damoiselle de Curson avec amertume; j'aurais mieux fait de suivre ma visée et d'aller où mon cœur me menait, quand je vous ai rencontré devers la Bastille. — Oui-da, ma mie, où seriez-vous allée, s'il vous plaît? répliqua Yves: vous ne pouviez passer les ponts qui étaient gardés, vous ne pouviez vous engager dans les rues de la ville, sous peine d'être mise à mal. N'est-ce pas moi, méchante, qui vous ai conduite jusqu'ici, malgré bien des périls? — Je vous remercierais, Yves, pour ce bon secours, si M. de Pardaillan était céans, si je le savais, à cette heure, en sûreté! — Il est plutôt en sûreté que vous-même, Anne, puisqu'il loge au Louvre, dans la propre chambre du roi de Navarre! — Le seigneur Dieu nous aide! s'écria le valet: voici des cavaliers qui débouchent par la rue Saint-André-des-Arcs! — Merci de nous! s'écria madame de Curson: voici une grosse bande de gens qui sortent de l'Abbaye avec des torches! — Madame ma mère, rentrez chez vous! dit le jeune homme d'un ton d'autorité que motivait la circonstance. Je vous promets de n'être pas longtemps à vous rejoindre, avec la grâce de Dieu. Et vous, ma sœur, sur votre vie, ne prononcez pas une parole et me laissez faire ce qui conviendra pour notre salut! — Oh! mon fils! ils viennent! ma pauvre fille! murmurait la dame de Curson.

Elle se cramponnait des deux mains à la porte qu'elle s'imaginait faire mouvoir.

— Par votre âme! madame ma mère, si vous ne rentrez promptement, vous nous perdez tous! disait à demi-voix Yves de Curson. Çà, ma sœur, ne vous lamentez pas ainsi, pour Dieu!

Le sire de Curson attendit l'approche des cavaliers, sans descendre de cheval.

Il avait tiré son épée et il couvrait de son corps sa sœur, assise en croupe derrière lui; le vieux Daniel se tenait prêt aussi à faire usage de ses armes.

Mais il ne fallait pas songer à une folle résistance.

C'était la cavalerie que le duc de Guise envoyait, sous la conduite de Maugiron, pour agir contre les huguenots logés au faubourg Saint-Germain-des-Prés, et la garde abbatiale venait se joindre à ces gens d'armes, afin de les seconder dans l'exécution du massacre. Ceux-ci amenaient avec eux le quartenier qui devait leur ouvrir la porte, ceux-là accompagnaient le prévôt de l'Abbaye.

—Qui vive! cria-t-on, en apercevant un homme à cheval qui paraissait garder la porte de Bussy: huguenot ou catholique?—Catholique! répondit Yves de Curson.

Le sire de Maugiron s'était porté le premier en avant pour voir à qui l'on avait affaire.

—Vous avez, de fait, la croix blanche au chapeau et le mouchoir au bras droit? dit Maugiron, reconnaissant le jeune huguenot avec lequel il avait soupé et joué la nuit même chez le capitaine de Losse. M'est avis que vous vous êtes fait catholique depuis peu de temps?—Depuis que je vous vis au jeu, répliqua le jeune homme avec une heureuse présence d'esprit; depuis que je perdis contre vous vingt-cinq mille écus d'or, que je vous dois encore...—Vingt-cinq mille écus d'or? répéta le sire de Maugiron.

Il comprit qu'on les lui offrait comme rançon, et il n'eut garde de les refuser.

—Vraiment! je me souviens de votre dette et vous sais bon gré de ne l'avoir pas oubliée. Toutefois, je pensais que c'était cinquante mille écus?—Vous avez sans doute meilleure mémoire que moi, messire, et je m'en rapporte à votre opinion; ce sera donc cinquante mille écus d'or.—Par la messe! vous êtes un beau joueur! Mais, je vous prie, quand avisez-vous à me payer cette somme?—Je vous la payerai, sur ma foi, aussitôt que vous prendrez congé de nous, si je puis retourner en Bretagne avec ma mère, ma sœur et mes domestiques.—Où logez-vous? dit à voix basse M. de Maugiron qui s'approcha d'Yves de Curson et lui tendit la main. Je vais vous faire escorte jusqu'à votre logis; j'ordonnerai qu'on en garde la porte: vous y serez renfermé avec vos gens, et j'irai terminer notre marché, dès que je pourrai moi-même vous conduire hors de Paris.

Maugiron retourna vers sa cavalerie qui avait fait halte pendant qu'il allait seul à la rencontre d'Yves de Curson; il annonça tout haut que ce cavalier venait de lui transmettre des ordres de la part du roi.

Le quartenier, escorté de soldats du guet, ouvrit la porte de Bussy, que le prévôt de l'Abbaye ouvrait aussi de son côté.

Les gens d'armes défilèrent, l'épée nue et le pistolet au poing, devant le sire de Curson, sa sœur et leur valet, non sans les regarder avec défiance et menace.

Maugiron, après avoir distribué les postes et les instructions à sa troupe, dont il remit le commandement à son lieutenant, se rapprocha du jeune huguenot qu'il n'avait pas un instant perdu de vue.

Des cris de mort retentirent dans les rues du faubourg où se répandaient en tumulte les cavaliers de Maugiron et les archers de la garde abbatiale.

Yves de Curson crut qu'il n'avait plus qu'à vendre chèrement sa vie, et il faillit ne pas attendre une attaque pour faire usage de ses armes.

—Je vous ai demandé où vous logiez, dit Maugiron qui n'avait aucune intention hostile à l'égard de ceux qu'il s'apprêtait à rançonner. —La rançon que je vous ai promise, reprit Yves de Curson, comprend toutes les personnes de ma famille et de ma maison, sans exception? —Et, en outre, M. de Pardaillan, qui sera mon mari, ajouta Anne troublée d'un triste pressentiment qui fit trembler sa voix. —Ah! Pardaillan? répéta Maugiron avec un signe de tête de mauvais augure: je souhaiterais pour lui qu'il fût avec vous, mais il est au Louvre chez le roi de Navarre. —Je n'entends parler que des personnes qui demeurent à l'hôtel de Genouillac, répliqua Yves; vous vous engagez à les mener sûrement hors de Paris?... —Oui, et tout à l'heure, avant que le massacre soit plus échauffé. Faites monter tout votre monde à cheval ou en litière, et je vous conduirai moi-même, sans qu'on vous ôte un cheveu de la tête. —Si j'étais seul de ma personne, je ne consentirais jamais à racheter ma vie à prix d'or et je mourrais plutôt avec mes frères qu'on égorge traîtreusement! —Çà, mon maître, repartit vivement Maugiron, avez-vous regret des cinquante mille écus qui sont, disiez-vous, une dette de jeu? —Voici l'hôtel où loge madame ma mère, répondit le jeune homme avec noblesse: je vous invite à y entrer pour que je m'acquitte envers vous. —Eh! monsieur de Curson? est-ce pas vous? cria Jacques de Savereux qui parut sur le balcon du premier étage: montez vite, car on a grandement besoin de vous céans! —Je vous attendrai ici, dit Maugiron à Yves de Curson; ne tardez guère, je vous prie, si vous voulez que j'aie encore le pouvoir de tenir ma promesse et de vous sauver tous!

XII

Anne de Curson avait seule entendu une voix mourante qui l'appelait par son nom; elle ne put méconnaître cette voix, et elle s'était élancée à terre, avant que son frère songeât à la retenir.

Il la suivit dans l'hôtel dont la porte était restée entr'ouverte, et ne la rejoignit qu'au moment où elle se précipitait, tout en larmes, sur le corps de son fiancé.

Pardaillan, près de rendre le dernier soupir, retrouva, en la voyant, assez de force pour la presser dans ses bras et pour lui adresser un adieu suprême.

—Anne, chère Anne, lui dit-il à travers le râle de l'agonie, je ne veux pas mourir sans vous avoir épousée, et j'entends que vous portiez mon deuil par souvenir de moi. — Pensez que vous ne mourrez pas, je vous conjure, reprit-elle en sanglotant; je vous soignerai, je vous guérirai! fussiez-vous mort, je vous ressusciterai! — Non, ma bien-aimée Anne, il n'y a pas de miracle de l'art qui fasse que je survive à mes blessures, même qui me donne une heure d'existence; mais le temps qui me reste suffit à nos épousailles, et j'ai prié maître Labarche de nous marier chrétiennement, comme si nous devions être conjoints pour bien vivre ensemble. — Je ne m'y oppose pas, si tel est votre désir; mais je demande d'abord qu'un médecin soit mandé, qu'on vous couche en un lit, qu'on bande vos plaies... — Oh! que de délais, chère damoiselle! Vous ai-je pas déclaré que je meurs, que je suis quasi mort? Ne mettez donc plus de retardement à la consolation que je vous demande? Voici l'écharpe que j'ai gardée comme gage de votre cœur, voilà l'anneau que je tenais comme gage de votre main! — Qu'il soit fait selon votre volonté, mon cher seigneur; et j'ai confiance que Dieu, qui va consacrer notre union, ne voudra pas qu'elle soit sitôt rompue par la mort! — Monsieur de Curson, cria d'en bas le sire Maugiron, quand aurez-vous fini vos préparatifs de départ? Hâtez-vous, si vous n'aimez mieux ne partir jamais!

Aucun des assistants ne prit garde à l'appel pressant de Maugiron, aucun n'entendait les cris effrayants qui sortaient des maisons voisines où l'on commençait à massacrer les huguenots et à les jeter par les fenêtres.

Le ministre protestant s'était mis en devoir de consacrer le mariage du baron de Pardaillan et d'Anne de Curson, avec autant de calme et de solennité que si la cérémonie avait eu lieu dans un temple sous la garantie des édits de pacification.

La dame de Curson et son fils s'étaient agenouillés auprès du moribond, dont le visage ensanglanté se refusait à exprimer la joie triste et douce qu'il sentait en lui-même pendant la célébration de cet hymen funèbre.

Jacques de Savereux, debout dans un coin de la salle, s'associait de pensée aux prières du ministre et s'attachait de plus en plus à la destinée de cette famille, au milieu de laquelle le hasard l'avait introduit.

Il ne se lassait pas de contempler la belle tête d'Anne, qui, le front appuyé sur une de ses mains, tandis que de l'autre elle comptait les battements du cœur de son époux, avait concentré toute son âme dans un regard fixe et désespéré.

—Sire de Gondrin, baron de Pardaillan, dit le ministre d'un ton ferme et imposant, jurez-vous d'accorder loyale et honorable protection à la damoiselle Anne de Curson, que vous prenez devant Dieu comme bonne femme et légitime épouse?—Je le jure devant Dieu! répondit Pardaillan, qui retrouva sa voix naturelle pour prononcer ce serment.—Et vous, damoiselle Anne de Curson, jurez-vous d'aimer, de servir et de contenter en toute chose messire de Gondrin, baron de Pardaillan, que vous tiendrez devant Dieu pour votre bon et fidèle mari?—Devant Dieu, je le jure, répondit la mariée en poussant de nouveaux sanglots.—Par la messe! cria Maugiron avec impatience, en aurez-vous bientôt fini? Descendez vitement ou sinon je vous envoie à tous les diables!—C'est toi, Maugiron? dit Savereux qui se montra sur le balcon, en reconnaissant la voix de son compagnon de table et de jeu. Qu'attends-tu là-bas?—C'est toi, Savereux? reprit Maugiron, étonné de cette rencontre qui lui donna tout d'abord à penser qu'on s'était moqué de lui: que fais-tu là-haut?—Moi! je règle mes comptes avec mon ami de Curson; après quoi, nous irons vous joindre au Pré-aux-Clercs, en compagnie de dix ou douze bonnes épées huguenotes, pour vider notre querelle du souper.—Songes-tu, ou bien es-tu en démence? J'imagine que tu as dormi jusqu'à présent, pour ne savoir pas qu'on fait la chasse aux huguenots et qu'il n'y en aura plus un à

Paris, le jour levé. Conseille donc à ton ami de Curson de venir régler aussi ses comptes avec moi?

Jacques de Savereux rentra dans la salle où son nom avait été prononcé.

Il vit le baron de Pardaillan, qui s'était soulevé sur un coude, et qui prêtait l'oreille aux rumeurs du dehors, pendant que sa femme et son beau-frère s'efforçaient de le retenir sur le tapis où il était étendu.

Pardaillan s'agitait convulsivement: il se frappait le front dans ses mains, il s'arrachait les cheveux, comme s'il eût repris son énergie pour comprendre le péril imminent qui menaçait les objets de son affection.

Il sembla se calmer en apercevant Savereux, et il retomba épuisé, haletant, sans voix et presque sans regard; puis lui faisant signe d'approcher:

—Monsieur de Savereux, lui dit-il avec effort, vous vous êtes conduit de telle sorte à mon égard, en vous dévouant pour me sauver, que je suis assuré de votre dévouement envers une personne que j'aime plus que moi-même: lorsque je serai mort, je vous confie ma veuve à défendre et à garder, en mon lieu et place, comme si elle fût votre propre femme et que vous fussiez mon frère d'alliance. — Monsieur de Savereux, vous étiez déjà mon frère d'armes, reprit Yves de Curson, soyez encore mon frère d'alliance! — Frère d'alliance, frère d'armes, frère en Jésus-Christ! s'écria Jacques de Savereux, avec exaltation. — Madame ma mère, la dot que vous devez octroyer à ma sœur Anne n'est-elle que de soixante mille écus d'or? — Qui sont renfermés en soixante sacs dans ce coffre? dit la dame de Curson: ils sont à vous, monsieur de Pardaillan. — Je les donne et lègue à ma chère veuve, reprit Pardaillan, pour en faire tel usage qu'il lui conviendra... — J'en ai besoin ce jourd'hui, ma sœur, interrompit Yves de Curson: je les emprunte et les rendrai sur mon patrimoine; car il importe que je paye une dette de jeu, à savoir soixante-dix mille écus que j'ai perdus cette nuit contre M. de Savereux ci-présent... — Par la mordieu! que voulez-vous que j'en fasse? s'écria Savereux, repoussant la cassette que le jeune homme lui présentait. — Vous me les prêterez à votre tour, mon frère d'armes, afin que je paye la rançon de ma mère, de ma sœur et la nôtre à tous, moyennant la somme de cinquante mille écus d'or, que Maugiron attend à la porte de l'hôtel. —

64/188

Monsieur de Curson, cria encore Maugiron, si vous tardez à venir, je ne réponds plus de rien et retire ma promesse de sauf-conduit!

Anne sanglotait, penchée sur son époux expirant qui ne la voyait plus, mais qui lui parlait encore pour l'encourager.

Elle était devenue insensible à tout le reste; elle n'avait aucune conscience, ni aucun souci du péril imminent qui l'environnait: les clameurs de la populace et de la soldatesque en délire n'arrivaient pas à ses oreilles; elle se sentait comme seule au monde, avec l'être chéri qu'elle croyait disputer à la mort.

Pardaillan, quoique agonisant, avait saisi et compris quelques uns des bruits lugubres qui remplissaient le faubourg: il se rendait compte de la nécessité de fuir, faute de pouvoir se défendre; il était impatient de mourir, pour n'être plus un obstacle à cette fuite.

—Anne, je vous ordonne de suivre celui que je vous ai choisi pour gardien, tuteur et défenseur! dit-il, d'un accent d'autorité. Savereux, tenez, en souvenir de vos généreux services, mon écharpe et cet anneau, que ma veuve, je l'espère, ne vous ôtera pas?—Venez, madame, dit à sa mère le sire de Curson, qui était allé faire préparer une litière et des chevaux; venez, ma sœur, il n'y a pas une minute de répit! M. de Maugiron veut bien nous escorter en personne, jusqu'à ce que vous soyez en lieu d'asile et de sûreté.—Adieu, vous dis-je, madame de Pardaillan! s'écria le mourant: adieu, mon frère d'alliance! adieu, Yves! adieu, vous tous que je fie à la garde de Dieu!

En achevant ces mots, il arracha violemment les linges qui fermaient ses blessures et provoqua ainsi une hémorragie qui l'étouffa aussitôt.

Anne s'était évanouie parmi des flots de sang.

Jacques de Savereux l'emporta, sans mouvement, dans la litière où Yves de Curson avait déjà entraîné sa mère.

Le cortége se mit en marche sous les auspices du sire de Maugiron, qui eut beaucoup de peine à le faire passer sans accident à travers le faubourg.

Yves de Curson avait pourtant fait prendre à ses gens, et au ministre protestant lui-même, le signe de ralliement des catholiques, la cocarde blanche au chapeau et le mouchoir noué au bras gauche; mais les meurtriers étaient si avides de carnage, qu'ils cherchaient partout des victimes, et voyaient des huguenots dans ceux qui ne se montraient pas teints de sang.

Savereux, par bonheur, offrait à cet égard autant de garanties que ces bourreaux pouvaient en désirer.

—Celui-là, disait-on en le voyant, a gaillardement travaillé! Que je devienne huguenot, s'il n'a pas gagné des pardons pour six vingts ans!

Lorsque la litière fut sur la route de Saint-Cloud, à l'abri des attaques et des poursuites du parti catholique, cette route étant semée de fuyards échappés au massacre, Yves de Curson invita ses gens à ôter les cocardes et les mouchoirs qui les avaient protégés jusque-là et qui pouvaient plus loin leur être funestes.

Il alla ensuite à M. de Maugiron, le remercia de sa protection, et lui offrit la cassette qui contenait plus que la somme convenue entre eux à titre de rançon.

—La somme est entière et au delà, lui dit-il: vous n'avez que faire de la compter. Nous ne sommes pas quittes toutefois, monsieur, et vous me devez, ainsi que vos amis, une belle expertise d'armes qui ne se fera pas au Pré-aux-Clercs, mais, Dieu aidant, sur quelque champ de bataille où les huguenots prendront leur revanche de la perfidie des catholiques.

Maugiron reçut la cassette, l'ouvrit pour en voir le contenu, et la plaça en selle devant lui; puis il partit au galop pour retourner à Paris.

Jacques de Savereux lui cria d'arrêter, le rejoignit à cinquante pas du cortége, et se jetant à la bride de son cheval, l'épée au poing:

—Tu es mon prisonnier, Maugiron, cria-t-il, et je t'impose à quatre-vingt mille écus d'or de rançon!

En même temps il portait la pointe de son épée sous la gorge du prisonnier.

—La gausserie est plaisante, Savereux! reprit Maugiron en riant. Mais je n'ai pas le loisir de jouer à ce jeu-là: la besogne n'est pas faite encore au faubourg Saint-Germain. Viens-tu pas y gagner le paradis avec moi?—Je ne gausse pas, Maugiron, et je te prie de me bailler le coffre où sont soixante mille écus d'or: tu m'en devras vingt mille du demeurant, et je te laisse aller sur parole, à moins que tu ne préfères m'accompagner à La Rochelle, les mains liées. — Savereux, c'est un jeu, sans doute? — Est-ce donc aussi par jeu que tu emportes la dot de la pauvre damoiselle de Curson? Çà, dépêche de la rendre... — Quoi! méchant traître, tu prétends me dépouiller de mon bien?... — Toi qui rançonnes les gens, il convient que tu sois pareillement rançonné. Ne m'accuse pas de trahison, puisque je suis maintenant huguenot... — Huguenot? — Oui, huguenot; et j'ai dès lors à venger sur les catholiques le sang de mon frère d'alliance, le baron de Pardaillan.

Jacques de Savereux, en effet, abjura le catholicisme, épousa la veuve de Pardaillan, et fut un des plus braves capitaines de l'armée calviniste. Il garda toutefois au fond du cœur une espèce de reconnaissance pour la Saint-Barthélemy, à laquelle il devait sa fortune, sa femme et son bonheur. Depuis lors, il ne toucha jamais aux dés ni aux cartes.

FIN

LA PLUS BELLE LETTRE

Charles d'Orléans, fils aîné de Louis, duc d'Orléans, qui fut assassiné par le duc de Bourgogne, Jean-sans-Peur, dans la rue Barbette à Paris, le 25 novembre 1407, avait enfin sacrifié son juste ressentiment à l'intérêt de la France et du roi.

Il s'était réconcilié avec l'assassin de son père, après sept années de discordes civiles, pendant lesquelles deux factions acharnées l'une contre l'autre, les *Armagnacs* ou *Orléanais* et les *Bourguignons*, avaient eu tour à tour entre leurs mains le pouvoir souverain et la personne du malheureux Charles VI en démence.

Le meurtre du duc d'Orléans n'était que le prétexte de cette lutte furieuse des partis et des ambitions.

Les princes et les grands sympathisaient sans doute avec le jeune duc d'Orléans, qui représentait en quelque sorte la noblesse et la cour, en tenant tête au duc de Bourgogne, lequel s'appuyait sur le bas peuple et n'avait pas rougi de pactiser avec le boucher Caboche et le bourreau Capeluche; mais les princes et les grands s'étaient vus forcés à plusieurs reprises d'accepter la domination du terrible duc de Bourgogne, qui avait à sa merci le roi lui-même et qui était vraiment maître de Paris.

Ce fut donc une déplorable suite de séditions, de massacres, de perfidies, de traités et de guerres, jusqu'à ce que Jean-sans-Peur eût reconnu qu'il n'était point assez fort pour résister à tous les princes coalisés contre lui.

La paix signée à Arras au mois de février 1415, on put croire que le royaume allait se remettre de tant de secousses et jouir de quelques années de repos: le Bourguignon promit de rester dans ses États, et Charles VI rentra dans sa bonne ville de Paris, afin d'y recevoir avec magnificence les ambassadeurs du roi d'Angleterre.

Henri V avait jugé le moment opportun pour attaquer la France épuisée et déchirée par tant de divisions intestines.

Il régnait depuis deux ans à peine, et il nourrissait l'espérance de réunir les couronnes de France et d'Angleterre sur sa tête, en accomplissant les plans de conquête d'Édouard III...

Il envoya pourtant à Charles VI une ambassade qui eut l'air de proposer une trêve de cinquante ans avec des conditions honteuses et intolérables, pendant qu'il achevait les préparatifs de l'expédition projetée dès son avénement au trône.

A son ambassade, Charles VI répondit par une ambassade qui n'eut pas plus de succès, mais qui apprit au roi de France que son cousin d'Angleterre était prêt à lui déclarer la guerre.

En effet, Henri V lui écrivit, avant de s'embarquer, qu'il voulait *combattre jusqu'à la mort pour justice*, et qu'il réclamait son *héritage*, ainsi que la restitution de ses droits.

En conséquence, il partit avec seize cents vaisseaux chargés de troupes et d'approvisionnements, et vint mettre le siége devant Harfleur, où s'était enfermée l'élite des chevaliers de la Normandie pour défendre cette place forte qu'on regardait alors comme la clé du pays.

Pendant l'automne de cette même année 1415, Charles, duc d'Orléans, habitait son château de Coucy, près de Laon.

Il avait quitté la cour de Charles VI depuis plusieurs mois, et il s'était éloigné des affaires politiques, qui ne lui avaient jamais causé que de l'ennui et du dégoût.

Son caractère, honnête et loyal, bon et généreux, se refusait aux intrigues et aux mensonges dont cette cour était le foyer perpétuel; il se trouvait assez riche de ses revenus et assez puissant dans ses terres pour n'avoir pas besoin de se mêler du gouvernement de l'État, ni de puiser dans les coffres du roi.

Il aimait les armes, parce qu'il était brave, ainsi que tous les princes et tous les nobles de cette époque, qui apprenaient dès l'enfance à manier la lance et l'épée, mais il avait horreur de ces sanglantes collisions entre concitoyens, entre parents, au milieu desquelles sa jeunesse s'était si tristement écoulée.

Ce fut là l'origine de la mélancolie qui restait toujours empreinte sur son visage et qui planait souvent comme un nuage dans son esprit.

Charles d'Orléans n'avait alors que vingt-quatre ans; mais le malheur et l'étude lui avaient donné les qualités graves et solides d'un âge plus mûr: souffrir et méditer, c'est vivre doublement, c'est se faire une expérience précoce.

Ce prince avait vu son père tomber assassiné par Jean-sans-Peur, duc de Bourgogne; sa mère, la noble Valentine de Milan, se dessécher et mourir de douleur; sa femme, Isabelle de France, expirer en donnant le jour à son premier enfant: il ne s'était pas consolé de ces pertes successives, quoiqu'il eût épousé en secondes noces une fille du comte d'Armagnac et que cette union fût aussi heureuse qu'il pouvait le désirer.

Le duc d'Orléans aimait donc la retraite et les plaisirs calmes qu'on y trouve dans le commerce intime des arts et des lettres: il s'occupait surtout de poésie, et il composait des ballades et des *rondels* que les poëtes les plus renommés de son temps eussent été fiers de s'attribuer.

L'exemple est tout-puissant autour des grands; aussi, la poésie faisait-elle les délices de la petite cour de cet aimable prince: sa femme, ses officiers et ses domestiques participaient à ses goûts artistiques et littéraires; on ne rêvait que peinture, musique, vers et *gai-savoir* au château de Coucy.

II

Ce jour-là, au commencement d'octobre 1415, Bonne d'Armagnac, duchesse d'Orléans, était montée, de grand matin, sur la plate-forme de la grosse tour ou donjon, qui dominait toutes les tourelles du château, et qui, bien que démantelé et ruiné aujourd'hui, s'élève encore à une hauteur considérable au-dessus de la ville de Coucy.

La princesse, appuyée contre la muraille du parapet, regardait en silence, par l'ouverture d'un créneau, des bandes de piétons et de cavaliers armés, qui passaient de moment en moment, en se dirigeant vers Compiègne, au son de la trompette.

A ses côtés, se tenait debout, soucieuse et pensive, sa compagne favorite, damoiselle Isabeau de Grailly, fiancée à Philippe de Boulainvilliers, gentilhomme favori du duc d'Orléans.

—Hélas! dit tristement la duchesse, ce bruit de trompettes viendra enfin aux oreilles de monseigneur et lui apprendra ce que je veux lui cacher!—Tant que monseigneur sera retiré dans son cabinet d'étude, reprit Isabeau, il n'entendra rien, sinon les trompettes du jugement dernier.—Oui-da, ma mie, mais j'appréhende qu'il n'étudie pas ainsi tout le jour, et dès qu'il sera hors de son cabinet, il s'enquerra de ces trompettes qui sonnent à me déchirer le cœur; ou plutôt il devinera sur l'heure que le roi a mandé ses gens d'armes...—Nenni, madame: on lui dira qu'il y a grande chasse dans la forêt de Compiègne.—Vraiment! le roi et les princes ont seuls le droit de chasser dans cette forêt du domaine du roi: or, monseigneur, s'il croit ce que nous lui dirons de ces maudites trompettes, voudra s'en aller à la chasse du roi notre sire.—N'est-il que ce prétexte! Nous croira-t-on mieux, si nous prétendons que des jongleurs et des baladins courent le pays, avec cette triomphante musique?—Certes, il ordonnera qu'on lui amène baladins et jongleurs pour notre divertissement.—Me donnez-vous permission, madame, reprit Isabeau, d'inventer quelque bel expédient pour faire que ces gens de guerre se taisent en passant près d'ici?—Je t'avouerai, ma fille, en tout ce que tu feras à l'effet d'empêcher monseigneur de partir pour la guerre.—A Dieu plaise, ma chère dame, que mon intention vienne à bien pour vous complaire! mais qui me gardera de la colère de monseigneur?—Moi, je t'assure; d'autant plus que sa colère ne saurait durer, quand je lui dirai tendrement: «Monseigneur, toute femme qui honore et chérit son époux doit haïr et détester les batailles; je préfère donc vous conserver, indigné et rancuneux contre moi, que de vous perdre, dévoué et bien aimant; voilà pourquoi j'ai fait tort à votre gloire, qui vous appelait au champ d'honneur contre les Anglais. — Monseigneur vous gourmandera peut-être de l'avoir privé de cette gloire et de ces périls, mais il vous en aimera et estimera davantage. Oh! que ne puis-je de même, ajouta-t-elle avec un pressentiment mélancolique, retenir et mettre en chartre messire Philippe de Boulainvilliers, mon fiancé, qui, j'imagine, a déjà rejoint l'armée du roi, puisqu'il ne revient pas de son voyage de Blois! — Ton fiancé, ma fille, ne voudra pas s'exposer à la fortune des armes, avant de t'avoir dit adieu! — Donc, madame, au cas qu'il retourne ici, vous m'autorisez à vous imiter et à lui fermer le champ, pour qu'il n'aille pas combattre? Ce faisant, j'agirai comme si je fusse déjà son épousée et non plus sa fiancée. — Je t'y autorise de toutes mes forces, et te prie d'abord de t'employer promptement à interrompre ces aubades qui me troublent et me navrent.

Les sons des trompettes devenaient plus perçants, parce que le vent, qui soufflait de l'ouest, les apportait du fond des bois et des vallées dans la direction du château de Coucy.

Tout le monde, dans ce château, les avait entendus, excepté le duc d'Orléans qui, distrait et rêveur d'habitude, ne prenait pas garde aux objets ni aux bruits extérieurs.

Il s'était, d'ailleurs, levé avec l'aurore, pour se renfermer dans son *retrait*, cabinet retiré, où n'arrivait aucun écho du dehors, tant cette silencieuse retraite, consacrée à l'étude, était protégée par l'épaisseur des murailles, des portes et des tentures.

Depuis qu'on avait signalé le passage des gens de guerre sur la route de Compiègne à Chauny et à La Fère, la duchesse, qui était seule avertie de la cause de ces mouvements de troupes, avait fait défendre à tous les habitants du château d'en sortir, ni de communiquer avec aucun étranger, soit de vive voix, soit par écrit.

Il semblait qu'on se tînt prêt à soutenir un siége: la herse était abattue et le pont-levis levé devant la principale porte; les guetteurs ou sentinelles se trouvaient à leur poste sur les remparts, et l'on voyait par intervalles leurs têtes se montrer aux lucarnes des guérites de pierre.

Entre les créneaux, le soleil faisait étinceler des casques et des armures. A chaque meurtrière s'avançait la gueule béante d'un de ces longs canons nommés *serpenteaux*, *basilics*, *couleuvrines*, à cause de leur ressemblance avec des serpents monstrueux. On avait aussi affûté et apprêté les machines qui servaient à lancer au loin des dards énormes, des masses de fer, de plomb, et des quartiers de roc.

Capitaines et soldats ne doutaient pas que l'ennemi ne fût proche, mais ils ignoraient quel était cet ennemi que le duc d'Orléans seul semblait ne pas attendre.

Isabeau de Grailly avait laissé la duchesse passer dans ses appartements.

Elle descendit jusqu'à l'entrée d'une galerie basse qui était pleine de soldats dormant, buvant et jouant aux dés; elle s'arrêta sur le seuil et fit signe à un vieux capitaine qu'elle aperçut ruminant à l'écart et s'amusant à ficher sa dague dans la table devant laquelle il était accoudé.

Elle se retira sans que son apparition eût été d'ailleurs remarquée, et le vieux capitaine, qu'elle avait fait sortir précipitamment, la rejoignit sous une voûte sombre.

—Oh! ma très-honorée dame, lui dit-il avec émotion, que vous plaît-il et que puis-je faire pour votre service?—Maître Annebon, reprit-elle en souriant, vous n'avez pas oublié votre serment?—Foi de moi! j'oublierais plutôt le salut de mon âme! La reconnaissance est la seule chose qui ne vieillit pas ou qui ne déchoit par la force des ans. C'est à vous, c'est à votre gracieuse intercession, que je dois d'être encore, à cette heure, capitaine d'armes sous la bannière de monseigneur, et je vous ai promis, en récompense, de demeurer perpétuellement votre dévoué serviteur.—Aussi, maître Annebon, y compté-je aujourd'hui, quand je viens vous transmettre un ordre secret de madame...—Dites-le, je vous prie, et quel qu'il soit, ma vie en dépendît-elle, je l'exécuterai sur-le-champ.—Voici ce que c'est: choisissez dix hommes de votre compagnie, les plus résolus de cœur et les mieux assurés de langage; sortez avec eux du châtel, par quelque poterne non fréquentée; allez distribuer vos hommes aux carrefours de la route, entre Compiègne et La Fère, et ordonnez-leur de dire à chaque compagnie d'armes qui viendra trompettes sonnantes: «Passez votre chemin sans sonner, compagnons, car monseigneur d'Orléans est gravement malade, et possible s'en va-t-il mourir!...» — Merci de nous! s'écria douloureusement maître Annebon; monseigneur est en péril de mort? — Avisez seulement à l'ordre que je vous donne ici, et qui veut être accompli à l'instant même. Il faut que ces trompettes ne sonnent plus! — Si monseigneur s'en va de vie à trépas, ma très-excellente damoiselle, je ne vaux plus rien qu'à me faire tuer par les Anglais. Ah! que le Seigneur Dieu garde les jours de monseigneur, ce noble et glorieux rejeton de la branche royale d'Orléans! — Ce n'est pas tout: quoi qu'il arrive de l'ordre de madame et de son exécution, vous n'avouerez jamais l'avoir reçu de sa part, non plus que de la mienne. Çà, faites vitement, messire, et cependant ne vous lamentez pas trop sur monseigneur, en priant toutefois Dieu et sa benoîte mère de lui octroyer bonne et longue vie en honneur et prospérité. — Je ne me console pas de penser que monseigneur pourrait mourir de maladie... J'aimerais mieux qu'il rendît l'âme en combattant les Anglais.

Le capitaine Annebon essuya du revers de sa main cicatrisée les larmes qui coulaient le long de ses joues creuses, et il se mit en devoir d'obéir aux ordres de la duchesse.

Peu de moments après, il avait choisi dix hommes d'armes, vieillis comme lui sous les harnais, à la solde de la maison d'Orléans, et il les avait emmenés, vêtus de leurs hoquetons armoriés, montés sur leurs grands chevaux caparaçonnés, sans leur dire à quelle espèce d'expédition il les conduisait hors de la forteresse; mais il n'avait pu s'empêcher de raconter à quelques-uns de ses camarades que les jours du duc d'Orléans étaient en danger.

Au bout d'une heure, on n'entendait plus sonner de trompettes aux environs de Coucy, et dans l'intérieur du château, tout le monde croyait que le prince était gravement malade.

Ce fut une douleur générale qui s'accrut en raison des nouvelles plus alarmantes qu'on faisait circuler sur la nature et les progrès de la maladie.

III

Isabeau de Grailly était retournée auprès de la duchesse d'Orléans, qui se réjouissait de n'avoir plus à craindre que son mari n'allât à la guerre, lorsqu'un son de trompette retentit, clair et vibrant, à si peu de distance, que la duchesse en tressaillit sur son siége et laissa tomber la tapisserie qu'elle brodait à l'aiguille.

C'était le signal ordinaire pour demander entrée dans un château fort.

Isabeau courut à la fenêtre, dont les vitraux peints n'interceptaient pas complètement la vue des objets en changeant leur couleur.

Dès qu'elle aperçut au bord du fossé plusieurs cavaliers, parlementant avec le capitaine du pont-levis, elle poussa un cri de joie et se mit à bondir, comme une chevrette, autour de sa maîtresse, en frappant des mains.

—C'est lui, madame! dit-elle avec transport; c'est mon fiancé! c'est messire Philippe de Boulainvilliers, qui s'en revient de Blois!—J'espère qu'on ne lui permettra pas d'entrer dans le châtel, reprit la princesse d'un air et d'un ton d'autorité.—Eh! pourquoi? ma très-vénérée dame! reprit Isabeau tout attristée. M. de Boulainvilliers n'est-il pas de vos domestiques?—J'ai fait commandement exprès, sous telle peine qu'il appartiendra, de n'introduire céans nul homme et nulle femme, sans mon bon plaisir. — Aussi, je pense bien que vous ne ferez pas difficulté d'ordonner... Mais votre ordre était donné d'avance, ajouta-t-elle en regardant par la verrière; voici que le pont-levis s'abaisse et que le sieur de Boulainvilliers entre avec ses compagnons.—Notre Dame nous soit en aide! Je punirai bien celui qui a si mal tenu compte de mes ordres! Va-t'en dire de ma part, Isabeau, que le sire de Boulainvilliers et les autres nouveaux venus ne parlent à personne avant d'avoir parlé à moi.—Je les avertirai bien de se taire, madame, et ils seront muets comme s'ils avaient la langue coupée, je vous jure.

La damoiselle de Grailly, en descendant l'escalier, rencontra une de ses compagnes, Hermine de Lahern, qui le montait rapidement; elles passèrent l'une à côté de l'autre sans même s'adresser un regard.

Elles n'avaient pas entre elles le moindre rapport de caractère ni de sympathie, et elles étaient restées à peu près étrangères, en se voyant sans cesse et en se trouvant réunies dans la familiarité de la duchesse d'Orléans. Elles ne se ressemblaient pas plus au physique qu'au moral.

Isabeau, originaire du Périgord, avait l'humeur vive, légère et gaie de ses compatriotes; elle joignait à un esprit fin et délié une naïve et douce candeur; elle était d'une bonté angélique avec tout le monde, et d'un dévouement sans bornes à l'égard de ses supérieurs.

Sa famille, aussi riche que noble, l'avait placée toute jeune dans la maison de Bonne d'Armagnac, pour qu'elle apprît de bonne heure les usages de la noblesse et pour qu'elle se formât à l'école de la cour la plus polie qui fût alors en Europe.

La duchesse d'Orléans l'avait prise en affection, et pour ne jamais se séparer d'elle, avait voulu la fiancer à Philippe de Boulainvilliers, que le duc d'Orléans aimait plus que tous ses autres officiers.

Isabeau semblait plus âgée qu'elle ne l'était en réalité: sa taille svelte et toute formée, sa démarche élégante, sa physionomie expressive, ne disaient pas qu'elle eût moins de quinze ans; ses beaux yeux noirs, ses lèvres vermeilles et son teint éclatant de fraîcheur, étaient les traits saillants de sa beauté méridionale.

Hermine de Lahern, au contraire, avait les yeux d'un bleu verdâtre, le visage pâle et les cheveux blonds; elle était petite et maigre, tellement que rien chez elle ne dénotait ses vingt ans, excepté le timbre de sa voix mâle et l'assurance de son regard.

Elle appartenait à une ancienne famille de Bretagne, qui ne lui avait laissé que son nom pour héritage, et ce nom, illustré par les hauts faits de ses ancêtres, était plus précieux pour elle que la fortune et les honneurs. Son sexe ne l'empêchait pas d'avoir les qualités qu'on admire chez les hommes: la fierté, le courage, la force d'âme, la générosité, la loyauté; elle se rappelait toujours que son père et ses deux frères étaient morts dans les guerres contre les Anglais, et elle sentait croître au fond de son cœur un implacable désir de vengeance.

Elle soupirait en voyant briller des armes, en entendant sonner les clairons; elle s'indignait de n'être qu'une femme et de ne pouvoir devenir un héros sur un champ de bataille.

—Madame, dit la damoiselle de Lahern en abordant la duchesse, j'ai autorisé, en votre nom, le capitaine du pont-levis à introduire le sire de Boulainvilliers et sa suite, parmi laquelle se trouvait maître Fredet, le secrétaire de monseigneur. — En vérité, je vous blâme fort d'être allée à l'encontre de mon commandement et je vous en ferai repentir. — Fredet, le sire de Boulainvilliers et les autres ne sont pas gens étrangers, madame, et ils ont droit, comme vos domestiques, d'être reçus en votre maison. D'ailleurs, maître Fredet apporte une lettre du roi à monseigneur. — Une lettre du roi! J'entends qu'elle soit remise entre mes mains, et je chasserai de ma présence quiconque serait assez audacieux pour me désobéir! — Donc, madame, il faut se résigner plutôt à désobéir au roi notre souverain et révéré sire... — Le roi commande en sa cour, ainsi que moi en la mienne... Çà, appelez Fredet, ma fille; qu'il se garde de rendre la lettre à autre qu'à moi! Sais-tu bien que si monseigneur avait maintenant cette lettre, il se ferait armer tout à l'heure et partirait avec sa bannière? — Et ce serait agir en vrai duc d'Orléans, madame, ne vous déplaise; car l'armée du roi s'assemble partout contre celle des Anglais. — Ne dis pas un mot en plus, Hermine, si tu veux demeurer ma petite servante!... Souviens-toi que, le monde entier fût-il en guerre, le châtel de Coucy doit rester en paix. — Votre volonté soit faite, madame; mais, sur ma vie, si j'étais femme d'un fils de France et duc d'Orléans, je voudrais... — Aller guerroyer avec les capitaines, à la manière de ces vaillantes dames, Judith, Débora et autres? Nenni, ma fille, je ne suis pas sortie du sang de ces héroïnes, et je me contente de n'être qu'une femme, ayant les mœurs et les devoirs d'une femme, sans envier le rôle des hommes. Chacun en ce monde tienne son état, s'il vous plaît: aux hommes, il appartient de faire des prouesses d'armes... — Or donc, madame, souffrez que monseigneur tienne aussi son état et s'en aille avec sa bannière à la poursuite des Anglais! — Hermine, je vous renverrai en Bretagne, où vous vous ferez nonnain dans un couvent, si vous continuez de me fâcher si obstinément!... Tu veux donc, ma fille, ajouta-t-elle d'une voix émue, que je perde l'époux que tant j'aime et sans lequel je mourrais d'amertume? Ne t'ai-je pas conté ce vilain songe que j'ai fait et qui m'avertit de grands maux, si monseigneur me quitte? — Je donnerais mon sang et ma vie, chère et honorée dame, pour vous ôter une angoisse, mais tous les songes du monde ne feront pas que j'ajoute foi à leurs pronostics. La Providence est trop sage et trop juste, ce pensé-je, pour que le démon, qui crée et invente les illusions du sommeil, puisse avoir autorité sur l'avenir qui n'est point encore et que Dieu seul pressent. — Certes, le diable qui est malin esprit, au dire des doctes théologiens, s'empare quelquefois de notre sommeil; mais plus souvent notre ange gardien, tandis que nous sommes endormis, vient à nous très-amoureusement et nous entretient des choses futures. Enfin, depuis ce songe fatal qui m'a montré monseigneur couvert de sang et de blessures, étouffé quasi sous une montagne de morts qui s'aggravait sans cesse, j'ai au cœur cette idée, que je serai veuve et en habits de deuil, ainsi que j'étais en rêvant, si le duc, mon mari, s'éloigne de moi!—Las! madame, le garderez-vous mieux quand les Anglais auront mis en déroute l'armée royale et usurpé la noble couronne de France!

En ce moment, Philippe de Boulainvilliers et Fredet arrivèrent, encore poudreux de la route qu'ils avaient faite à cheval. Les gens de leur suite étaient restés dans un petit préau où Isabeau de Grailly les avait fait enfermer, pour qu'ils ne communiquassent pas avec les habitants du château avant d'avoir reçu les instructions précises de la duchesse d'Orléans.

C'était Isabeau qui précédait, en rougissant, son fiancé et le secrétaire du duc, honteux de se présenter en costume de voyage devant la princesse.

—Ma très-révérée dame, dit-elle, voici messire de Boulainvilliers et maître Fredet, qui n'ont encore parlé à personne céans.

Philippe de Boulainvilliers était un beau jeune homme, de grande taille, aux traits réguliers et fins, à la physionomie douce et souriante; il portait, par-dessus son armure, une casaque de poil de chèvre, brune, décorée de ses armoiries sur la poitrine, sans manches, et flottant autour des reins; il n'avait pas encore déposé son bassinet ou casque de fer battu, sans ornements, pour mettre sur sa tête un chaperon d'étoffe à huppe et à queue, comme on les portait à cette époque.

Quant à Fredet, c'était un petit homme, dont la figure commune, mais malicieuse et narquoise, dénotait la basse extraction; son esprit naturel avait été l'origine de sa fortune.

Fils d'un mercier ambulant, il était devenu l'élève des moines dans une abbaye de bénédictins, et ses bienfaiteurs, en espoir de gagner à leur ordre un néophyte éminent, l'avaient fait admettre comme boursier dans un collége de Paris. Fredet avait répondu aux espérances des bons pères en faisant de fortes et brillantes études; mais il avait d'ailleurs tourné le dos à la vocation qu'on attendait de lui: au lieu de se faire moine, il s'était fait poëte, et comme tous les poëtes de son temps, il avait vivement attaqué les moines.

Le duc d'Orléans, dans les mains de qui le hasard fit tomber un jour des poésies satiriques de Fredet, voulut absolument le connaître lui-même et se l'attacha en qualité de secrétaire.

Fredet, dans sa nouvelle position, n'avait pourtant pas renoncé à la satire, et sa langue mordante, qui n'épargnait pas même son maître, était redoutée de tous.

Hermine de Lahern était peut-être la seule personne au monde qui eût un empire réel sur ce railleur effronté, qu'elle avait osé une fois provoquer et vaincre avec les mêmes armes: non-seulement Fredet se gardait bien de la blesser par des sarcasmes, mais encore il avait pour elle une admiration et un dévouement qui ne manquaient aucune occasion de se produire à tous les yeux.

Il ne pouvait pourtant se promettre, lui qui n'avait pas d'autre noblesse que celle de l'intelligence, d'épouser une noble damoiselle de Bretagne, et de se faire aimer d'une jeune et charmante fille, lui vieux et infirme. Ce qu'il admirait en elle, c'était un caractère fier et indépendant, c'était une grandeur et une force d'âme devant lesquelles il se sentait affaibli et abaissé, malgré sa verve piquante et hardie qui ne s'était jamais imposé de retenue.

Fredet portait une longue robe de velours noir, bordée de fourrure, avec un chaperon pareillement noir, dont la huppe dentelée s'agitait sur son front, et dont la queue flottante s'attachait sur son épaule gauche; la couleur et l'étoffe de ce costume étaient, ainsi qu'une grosse chaîne d'or à plusieurs rangs, les insignes de sa charge de secrétaire.

Il avait autour de la taille une ceinture de *cordouan* ou cuir de Cordoue, à laquelle étaient suspendus une *escarcelle* en forme de portefeuille, et un *galimard* ou écritoire, dans un étui de corne; ses souliers à demi *poulaine,* c'est-à-dire allongés en pointe, avaient à peu près deux fois la dimension de son pied et ne ressemblaient pas mal à des patins hollandais. Il était complétement chauve, et il avait la barbe rasée; la malice et la raillerie brillaient dans son regard clignotant et animaient son sourire immobile.

—Qui de vous deux a la lettre du roi? demanda la duchesse d'Orléans.

Elle étendait la main pour la prendre, avant qu'on la lui eût présentée.

—Le roi notre sire m'a chargé de remettre une lettre aux propres mains de monseigneur, répondit Fredet, et je me suis engagé sur serment...—Oui bien, maître, je me ferai un solennel devoir de tenir votre serment en temps et lieu. Çà, donnez-nous cette lettre, et n'en parlez pas à notre seigneur le duc, d'autant qu'il est en pauvre et chétive santé et ne s'occupe point d'affaires en ce moment.—Maître Fredet, dit la demoiselle de Lahern voyant que le secrétaire faisait la grimace et hésitait à obéir, n'auriez-vous pas, tout à l'instant, égaré cette lettre par les montées? J'ai vu tomber sur le degré certain papier fermé de lacs de soie...—Que ne l'avez-vous ramassée aussitôt, ma fille? interrompit la duchesse avec vivacité. Vrai Dieu! si quelqu'un rencontrait cette lettre et s'en allait vitement la rendre à monseigneur! Fredet, courez voir à l'endroit où elle peut être...—Bien volontiers, ma très-excellente dame; mais cette honorable damoiselle me conduira, s'il vous plaît, là où a chu la lettre, une précieuse lettre, par ma foi! Ses yeux viendront au secours des miens pour la retrouver...—Dieu fasse que vous la retrouviez! dit sévèrement la duchesse. Je ne vous pardonnerais jamais une telle négligence; car j'entends que monseigneur ne voie cette lettre qu'après la paix faite avec les Anglais.—Je m'en lave les mains, ma très-haute et puissante dame, et je prie Dieu qu'il inspire vos intentions. Mais si vous attendez la paix pour remettre l'épître du roi à monseigneur, monseigneur aura barbe blanche auparavant, et le roi, notre sire, ne recevra de réponse qu'en son tombeau.

Le secrétaire sortit avec Hermine de Lahern, qui l'entraînait et qui le retint dans un vestibule pour lui expliquer l'usage qu'elle voulait faire de la lettre du roi.

Quant à la duchesse d'Orléans, elle n'eut aucun soupçon sur la véracité de Fredet qui avait accepté le faux-fuyant que lui suggérait la damoiselle de Lahern, au moment où il s'apprêtait à résister en face à une prétention exorbitante de la part de la princesse.

Celle-ci était seulement très-émue de la perte de la lettre, et pendant l'interrogatoire qu'elle fit subir à Philippe de Boulainvilliers, elle tournait les yeux sans cesse vers la porte par laquelle était sorti Fredet avec Hermine de Lahern.

—Eh bien! messire, avez-vous aussi égaré les lettres que vous apportiez à monseigneur? dit-elle avec impatience et dépit.—Dieu soit loué! les voici! reprit le jeune homme.

Il retira de sa casaque un paquet de papiers qu'il avait caché dans son sein.

La duchesse s'en empara si brusquement, qu'il n'eut pas le temps de les défendre ni de protester contre cette violence.

Elle brisa les cachets et ouvrit les correspondances adressées au duc d'Orléans, en les parcourant d'un œil inquiet et voilé de larmes, tandis que le sire de Boulainvilliers balbutiait quelques phrases inachevées et communiquait du regard son embarras à Isabeau de Grailly.

—Tous mes beaux cousins ont juré de me réduire au désespoir! s'écria la duchesse.

Elle froissait ces lettres qu'elle avait parcourues rapidement.

—Me voilà moult perplexe et contristé, ma très-révérée dame, dit le sire de Boulainvilliers. Quelle sera la grosse colère de monseigneur, en recevant de mes mains ou des vôtres ces lettres tout ouvertes, en voyant ces cachets rompus!...—Aussi ne les verra-t-il pas, quant à présent. Je vous recommande expressément de ne rien dire à monseigneur de tout ce qui se passe, du siége et de la prise de Harfleur, de la retraite des Anglais vers la Somme, de l'assemblée des seigneurs français...—Eh! madame, ne voulez-vous pas que la bannière du duc d'Orléans se montre entre les bannières de l'armée du roi?—Non, sur votre vie! Voulez-vous que monseigneur meure sur un champ de bataille? Il mourrait, je vous assure, s'il prenait part a cette guerre... Il y a en moi comme un esprit qui me conseille et qui m'avertit de l'avenir: cet esprit ne cesse de se lamenter sur la destinée de mon époux, que je perdrais sans retour, si je le laissais s'éloigner. Donc, il restera, dussent les Anglais pénétrer au cœur du royaume.— Dieu nous en garde, madame! Mieux vaut que nous mourions tous et le duc notre sire avec nous, plutôt que d'être témoins de cette désolation! Mais ne pensez-vous pas, ma très-chère et très-honorée dame, que l'absence de monseigneur sera fort remarquée et regrettée d'autant, dans l'armée du roi? Tous les princes et tous les gentilshommes sont déjà sur les champs, hormis monseigneur de Bourgogne: la noblesse de France s'empresse de courir sus au roi anglais, qui se trouve environné et harcelé de telle sorte qu'il ne peut passer la Somme pour retourner à Calais et qu'il a fait offrir de belles conditions pour avoir le passage libre...—Ne vous opposez pas, messire, à la volonté de madame d'Orléans, interrompit la damoiselle de Grailly: elle a de hautes et valables raisons pour faire ce qu'elle fait et fera. Monseigneur est grandement malade, et le repos lui convient mieux à cette heure que la guerre.—Monseigneur malade! Je refusais de croire à cette fâcheuse nouvelle, que j'ai sue en arrivant ici... Mais si le duc d'Orléans est empêché pour son propre compte, ne faut-il pas qu'il envoie ses gens d'armes et sa bannière à l'armée du roi?— Est-ce à dire que vous iriez en guerre, vous, messire? reprit Isabeau avec anxiété. Nenni; madame vous le défend, et je vous prie de demeurer.—Il serait sage, en vérité, dit la duchesse, de conter les événements à monseigneur et de vouloir qu'il s'abstienne d'y aller voir! Non, vous dis-je; le duc d'Orléans est malade, mais son plus grand empêchement vient de mon côté: je ne souffrirai pas qu'il me quitte, et pour ce faire, j'éviterai qu'il apprenne rien de ce qui est advenu. Telle est ma volonté souveraine et inébranlable.—Ma très-bonne et très-digne dame, dit Fredet qui revint d'un air contrit et narquois en même temps, la lettre du roi est sans doute retournée d'elle-même à Rouen où je l'avais prise; car nul ne l'a vue ni ramassée, quoique la damoiselle de Lahern ait déclaré qu'elle la trouverait bien. J'ai promis dix écus d'or à quiconque me la rapportera, et les étrivières à votre nain Bejaune, si on ne la rapporte.—Et moi, je vous promets votre congé, maître Fredet, si d'aventure cette lettre du roi arrive à son adresse et tombe aux mains de monseigneur.

Tout à coup, une voix aigre et stridente comme une cornemuse se fit entendre.

IV

Le nain de la duchesse d'Orléans, vêtu des pieds à la tête en bleu céleste parsemé de fleurs de lis d'or sans nombre (c'étaient les couleurs et les armes d'Orléans) sortit de dessous une portière de tapisserie, en se traînant sur les mains et sur les genoux, ainsi qu'une espèce de lézard, et vint s'accroupir aux pieds de la princesse.

Le nain Bejaune, né à Cambray, d'où sa mère l'avait amené pour remplacer une naine qui était morte au service de la maison d'Orléans, ne manquait ni de jugement, ni d'esprit; seulement, l'organe faisait faute à ses pensées, et il ne les exprimait qu'avec peine et par monosyllabes.

Il ôta son bonnet pointu surmonté d'une plume de héron, et s'en servit en guise d'éventail pour rafraîchir son visage ridé et grimaçant, tout ruisselant de sueur. Il fit la moue et montra les dents à Fredet; il sourit au comte de Boulainvilliers.

—Qu'est-ce? demanda la duchesse: monseigneur est-il issu de son cabinet d'étude?—Guerre! guerre! guerre! cria le nain, qui se cramponna de ses petites mains d'enfant au fourreau de l'épée du seigneur de Boulainvilliers. —Compère, lui dit la princesse avec un air imposant, si vous sonnez mot, je vous fais mettre en cage et enchaperonner comme un oiseau de chasse. —France! France! France! reprit le nain, d'une voix sourde et mélancolique, en cachant sa tête entre ses mains.

La portière de tapisserie se souleva doucement, et le duc Charles d'Orléans avança la tête pour savoir quelles étaient les personnes qu'il trouverait dans la salle en conférence avec la duchesse.

Il poussa une exclamation de joie en reconnaissant son secrétaire et le sire de Boulainvilliers.

Il alla droit à celui-ci, et lui présenta la main à baiser; puis, se tournant vers Fredet, il lui toucha la joue avec l'extrémité des doigts et l'accueillit d'un sourire plein de bienveillance.

Cette bienveillance était répandue sur tous les traits de Charles d'Orléans, qui n'avait jamais pris un abord dur et hautain, même vis-à-vis de ses plus infimes serviteurs, et qui semblait avoir seulement à cœur de se faire aimer de tout le monde.

Son visage gracieux et distingué, aux grands yeux mélancoliques, au teint pâle, à la bouche souriante, n'exprimait donc que la mansuétude de son caractère et la distraction de son esprit rêveur.

Sa démarche et son geste nobles suffisaient pour témoigner de sa naissance et de son rang; malgré la bonté et la douceur presque modestes dont il s'enveloppait en quelque sorte, il savait se montrer prince mieux que ses oncles et ses cousins: il n'avait qu'à prononcer une parole pour imposer le respect en même temps que l'affection.

Son costume était plus simple et moins soigné que celui de ses officiers subalternes.

Il conservait toujours le deuil depuis l'assassinat de son père, selon le vœu de sa mère, Valentine de Milan. Ce jour-là, il avait une sorte de robe de chambre tombant jusqu'à terre, à jupe large et flottante, à manches très-amples, en drap de soie noir, quelque peu taché et râpé par l'usage.

Une ceinture de cuir doré, et des franges d'or au bas de sa robe ainsi qu'autour du collet, étaient les seuls indices qui révélassent le haut seigneur, dans ce temps où des lois, dites somptuaires, attribuaient à chacun les étoffes et les parures qu'il devait porter en raison de sa qualité et de son état.

Son bonnet ou *aumusse* en velours noir, qui ne couvrait que le sommet de la tête et laissait descendre sur le cou la chevelure relevée en bourrelet ou façonnée en rouleau, offrait un signe plus caractéristique: c'était le bâton noueux, emblème choisi par le feu duc d'Orléans, et accompagné de sa devise: *Je l'envie*; le tout exécuté en broderie d'or et d'argent avec des entrelacs de perles.

Enfin, il tenait sous son bras un gros volume couvert en *veluau* ou velours noir.

—Quoi! de retour, messieurs mes amis! dit-il avec aménité, et vous ne m'avez pas fait avertir que vous étiez là?—C'est moi, monseigneur, qui n'ai pas permis qu'on vous troublât, reprit la duchesse; je vous savais enfermé en votre étude dès l'aube.—Oui bien, madame, je poétisais, songeais et écrivais; mais j'eusse été bien aise de voir mon bon compère Fredet et mon grand ami Philippe. Quelles nouvelles de par de çà? Vous venez de Blois, Philippe? Et vous, Fredet, de Rouen?...—Monseigneur, interrompit la princesse, ils vous conteront leur voyage après s'être reposés et rafraîchis, car ils ont fait une bien longue traite à cheval, et ils ont eu de grosses aventures par les chemins...—Mon Dieu! mes beaux amis, avez-vous rencontré des bandes d'écorcheurs ou des malandrins qui vous auraient ôté jusqu'à la chemise? Il est grand temps, la guerre finie, qu'on donne la chasse à ces larrons qui s'opposent au bien de la paix.—La guerre avait cet avantage, mon seigneur, dit Fredet, que les méchants voleurs faisaient de bons soldats.—Mieux vaut paix que guerre, Fredet, je t'assure; car si le roi levait l'oriflamme contre ses ennemis, nous ne pourrions pas, à cette heure, rimer des rondels et des ballades, comme nous faisons à loisir, et force serait de jouer de l'épée plutôt que de la plume....—Vous vous échauffez trop au travail, monseigneur, dit la duchesse qui voulait changer cette conversation, et votre santé en pâtit.—Vraiment! je ne fus jamais si allègre et dispos, madame, à cause de la vie tranquille qu'on mène ici, loin des soucis et des tracas de la cour.—C'est la chaleur du travail, vous dis-je, qui vous empêche de sentir que vous êtes malade...—Malade! s'écria le prince en riant; vous m'apprenez là ce que j'ignorais moi-même: je n'eus onc si bel appétit et si bonne humeur...—Eh! monseigneur, ce sont des apparences fausses, des mensonges de la maladie; il faut bien vous le déclarer, puisque vous n'y prenez pas garde: vous êtes malade et en danger de le devenir davantage; donc, je vous conseille de vous mettre au lit et d'appeler le médecin...—Dites de me mettre à table et d'appeler l'échanson, pour boire à la bienheureuse revenue de Fredet et de Boulainvilliers...—Mon redouté seigneur, dit alors Isabeau de Grailly qui avait imaginé la prétendue maladie de Louis d'Orléans, voilà plusieurs fois que madame la duchesse est grandement en peine de votre santé et n'ose vous le déclarer, de peur que vous ne tombiez dans la mélancolie.—Merci de moi! vous finirez par me faire croire que je suis déjà mort et enterré...—A Dieu ne plaise! dit la princesse; vous avez seulement une grosse fièvre, et il est bon que vous gardiez la chambre, sinon le lit, et fassiez jeûne exemplaire, comme au saint temps du carême...—Moi, j'ai la fièvre! Pour Dieu! si j'y eusse pensé! Bien plus, madame, il vous plaît que je jeûne en anachorète?...—Autrement, vous iriez de mal en pis, et vous seriez affligé de quelque grosse maladie. Ainsi, vous avez le teint pâle et l'œil éteint...—En vérité! reprit le duc qui commençait à se sentir persuadé: ai-je donc le teint si pâle et l'œil si éteint, Fredet?—Je ne sais pourquoi, mon très-redouté seigneur, répondit le secrétaire, mais, en vous voyant je me demandais, à part moi, si le grand air, l'exercice du corps, le chevaucher et le train des armes, ne vous valaient pas mieux que le séjour, l'étude et la poésie.—Que t'en semble, Philippe? demanda le duc en se tournant vers ce gentilhomme: me conseilles-tu de mander médecin et apothicaire?—Je ne vous puis conseiller, mon très-redouté seigneur, dit Philippe de Boulainvilliers, docile aux instructions de sa fiancée, que de vous remettre de tout aux avis et aux soins de madame d'Orléans qui n'a rien de plus cher que votre vie.—En effet, répliqua Louis d'Orléans qui éprouvait une sorte de malaise physique, résultant de la contrainte morale qu'on exerçait sur lui: depuis deux semaines, j'ai fait une terrible besogne, et il n'y a pas lieu d'être surpris si ce labeur obstiné a pâli mon visage et fatigué mes yeux...—Ta, ta, ta! se mit à fredonner le nain Bejaune, en imitant le son de la trompette, malgré les regards courroucés que lui lançait la duchesse.—Tu me donnes aussi un avertissement, Bejaune? repartit le duc, qui cherchait à dissiper la préoccupation chagrine que lui avait communiquée cette enquête sur sa santé. Tu me pries de célébrer quelque joute ou tournoi dans le grand préau?—Boum! boum! boum! murmura le nain, imitant le son de l'artillerie, sans tenir compte des ordres de madame d'Orléans.—Ah! je te comprends enfin, Bejaune, mon ami: tu fêtes et tu acclames l'anniversaire de mon mariage avec ma très-chère dame Bonne d'Armagnac? Vrai Dieu! il y a cinq ans accomplis que j'épousai l'excellente femme, laquelle j'aime davantage tous les jours...—Grand merci de cet anniversaire, monseigneur! dit la duchesse.

Elle se leva, les larmes aux yeux, et courut embrasser son mari.

—Prions le Seigneur Dieu de faire que le dit anniversaire ne soit pas le dernier!—Qu'est-ce à dire, madame? avez vous encore tant d'inquiétude sur ma santé? Je me soignerai donc et jeûnerai suivant votre plaisir. Mais, en mémoire de ce joyeux anniversaire, recevez ce beau livre que j'ai de ma main écrit et enluminé pour vous en faire don.

En disant ces mots, il lui présenta le volume qu'il tenait, et que Bonne d'Armagnac s'empressa d'ouvrir avec une joie d'enfant qui lui fit oublier un moment ses pressentiments sinistres.

C'était le recueil des poésies du prince et de quelques-uns de ses familiers, poésies d'un genre léger et gracieux, qui contrastait avec les impressions tristes et désolées que tant d'événements tragiques auraient dû faire passer dans l'esprit des auteurs: Charles d'Orléans, et les poëtes de son école, qui appartenaient presque tous à sa maison, avaient chanté le printemps, les fleurs, les oiseaux et les femmes.

Ce recueil, en belle écriture gothique, sur vélin blanc et lisse, était orné de majuscules rehaussées d'or et de couleurs éclatantes, ainsi que d'arabesques délicates, représentant des sujets variés de la vie rustique, à l'entour des pages.

—Mon bonheur n'aurait pas d'égal, monseigneur, dit la duchesse avec émotion, si vous vouliez jurer sur ce livre comme sur Évangile...—Que jurerai-je, madame? demanda vivement Louis d'Orléans, après avoir attendu un moment que la duchesse achevât sa phrase.—De ne me contredire en quoi que ce soit, monseigneur, et de croire, quoi qu'il arrive, qu'une bonne femme a reçu, du sacrement du mariage, plein et absolu pouvoir de garder son mari. C'est pourquoi je vous ordonne, mon cher seigneur, de rester en votre chambre comme en chartre privée.—Sur mon âme! je jurerai tout ce qu'il vous plaira, mais je n'eusse onc présumé que j'étais si grièvement malade.

Telle est la puissance de l'imagination sur tout notre organisme matériel, que le duc d'Orléans, qui jouissait d'une parfaite santé et dont aucun accident n'avait troublé la belle constitution, se laissa convaincre de maladie et en ressentit réellement les symptômes.

Il se mit à la diète, et se confina dans sa chambre, où Bonne d'Armagnac s'installa pour lui donner les soins les plus empressés et les plus tendres.

Après un jour de diète, le prétendu malade avait les sens plus lourds, la tête plus vide, le pouls plus faible: le médecin ou *physicien*, qu'on avait mandé, prescrivait des drogues et des tisanes, que la duchesse transformait, de concert avec Isabeau, en potions anodines et inoffensives.

C'est alors qu'elle répondit elle-même au roi, aux frères du roi, aux princes du sang, aux officiers de la couronne, qui avaient écrit au duc d'Orléans pour l'inviter à venir au plus tôt rejoindre l'armée avec ses chevaliers bannerets, ses gens d'armes et ses vassaux. La duchesse excusa l'absence de son mari en annonçant qu'il était incapable non-seulement de monter à cheval, mais encore de sortir de son lit.

Le prince devenait tout à fait malade.

La tristesse s'était emparée de lui et, à défaut d'un mal réel, le consumait lentement. Le manque de nourriture, d'air et d'exercice, l'avait tellement débilité, qu'il pouvait se regarder comme dangereusement atteint. Il en vint à penser à son testament.

V

Cependant toute la population du château était dans l'attente et dans l'anxiété.

Il n'y avait que le prince qui, enfermé dans sa chambre et gardé à vue par Bonne d'Armagnac, restât étranger aux événements de la guerre. Chacun, homme ou femme, grand ou petit, prenait à cœur les nouvelles vagues et incomplètes qui pénétraient de toutes parts dans l'enceinte de Coucy.

On savait que l'armée royale s'était rassemblée au nombre de 100,000 combattants; que cette armée s'augmentait sans cesse par l'arrivée de nouveaux renforts; que la noblesse de France avait juré d'anéantir les Anglais; que ceux-ci, décimés par les maladies et la famine, mais encouragés par la présence de leur roi, ne comptaient pas plus de 15,000 gens d'armes et archers; qu'ils avaient battu en retraite cependant, sans accepter la bataille, et qu'après avoir passé la Somme à gué, ils se croyaient sauvés, malgré la multitude d'ennemis qui les environnaient et les harcelaient.

On ne s'étonnait pas que le duc d'Orléans, malade comme on le disait, manquât à la réunion des princes et seigneurs français, mais on avait peine à comprendre qu'il n'eût pas envoyé à l'armée sa bannière avec ses gentilshommes, ses capitaines et ses vassaux.

On regardait cette indifférence de sa part comme un acte politique motivé par la conduite du duc de Bourgogne, qui avait refusé aussi de prêter secours au roi de France contre le roi d'Angleterre.

Ce jour-là (c'était le 21 octobre), Charles d'Orléans, le corps épuisé par la diète, la tête affaiblie par la préoccupation de son mal imaginaire, le visage pâle et altéré, se souleva sur le coude dans l'immense lit qui, semblable à une prison, l'enveloppait de l'ombre de son ciel massif et de ses rideaux ou *courtines* en soie bleue, brochée d'or et fleurdelisée.

Il appela, d'une voix débile, la duchesse, assise en ce moment près de la fenêtre, et lisant avec une sorte de pieux recueillement les poésies de son mari dans le beau manuscrit enluminé dont il lui avait fait présent.

—Bonne, lui dit-il, je mourrai d'ennui et de tristesse plutôt que de mon mal: il faut que je sorte de ce lit, sous peine d'y rendre l'âme; il faut que j'entende des voix humaines et contemple des visages humains, sous peine de me croire déjà au purgatoire... Eh! monseigneur, avez-vous la force de vous lever et tenir debout? Voulez-vous, pour vous distraire, qu'on amène en votre chambre des ménestrels, des bateleurs, des musiciens, des animaux savants, des docteurs ès-sciences... — Non, je ne veux plus demeurer en cette chambre; je veux me promener en plein air, dans les préaux, dans les courtils et les vergers, sur les remparts: cette promenade me vaudra mieux que les juleps des physiciens qui méritent le bonnet à oreilles d'âne. — Vraiment, mon cher seigneur, vous ne pourriez vous soutenir ni marcher. Vous êtes ou, du moins, vous avez été trop grandement malade. — Je ne suis pas guéri encore; mais, dussé-je aller de vie à trépas, je ne demeurerai davantage en ma couche. Dieu me vienne en aide! je prétends oublier mon mal, s'il se peut, et célébrer quelque fête ou cérémonie avant celle de mes funérailles. — Ne parlez pas ainsi, mon bon seigneur, car vous me navrez au fin fond de l'âme, et je souhaiterais alors être morte. — Demain, madame ma mie, je tiendrai un beau puy de rhétorique dans la galerie des Armes, et vous distribuerez, de votre main, les prix et couronnes que je décernerai aux meilleurs poétiseurs.

Bonne d'Armagnac fut contrariée, au dernier point, d'un pareil projet, qui allait mettre le duc d'Orléans en présence de toute sa maison; mais elle n'osa pas s'y opposer ouvertement, d'autant plus qu'en ce temps-là l'obéissance d'une femme envers son mari devait être toujours résignée et silencieuse.

Fredet fut appelé, et, de concert avec son maître, il dressa le plan détaillé de la fête.

On nommait *puy de rhétorique*, une espèce de concours poétique, qui s'ouvrait avec plus ou moins d'éclat dans les villes du nord de la France et à la cour des seigneurs de ces provinces, où la poésie était généralement aimée et cultivée. Ces puys de rhétorique excitaient et répandaient le goût des lettres ou de la *gaie-science*, suivant une expression en usage dans le Nord comme dans le Midi, qui avait aussi ses concours poétiques sous le nom de *jeux floraux* et de *cours d'amour*.

Quant au nom de *puy de rhétorique*, il signifie *trône de littérature*; car le mot *puy* (en bas latin, *podium*) s'employait pour désigner un lieu élevé, une montagne ou une estrade: la *rhétorique* avait alors un sens beaucoup plus étendu qu'aujourd'hui, et représentait à la fois tout ce que comprend l'art de bien dire.

Le lendemain, les préparatifs de la solennité avaient été faits dans la galerie des Armes, appelée ainsi à cause des trophées d'armes et des panoplies qui la décoraient.

Toutes les personnes faisant partie de la maison du duc d'Orléans devaient assister à l'assemblée et y avaient été invitées par un *cri*, c'est-à-dire par une proclamation au son des trompettes dans le *tinel* ou salle à manger des officiers et des dames.

On n'avait pas convoqué à cette fête les châtelains et les nobles des environs, parce que le temps eût manqué pour envoyer ces invitations à vingt lieues à la ronde. Madame d'Orléans s'y serait d'ailleurs refusée; tant elle craignait que son mari ne fût instruit de l'imminence d'une bataille entre les Français et les Anglais.

Elle redoubla même de précautions à cet égard, et elle menaça de sa colère quiconque aurait l'imprudence de prononcer une parole capable d'inquiéter ou d'éclairer le duc d'Orléans.

Si ce prince n'avait point passé pour gravement malade auprès de tout le monde, on n'eût rien compris à son indifférence au milieu des grands événements qui se préparaient, et tous les gentilshommes de sa maison seraient venus lui demander de les conduire à la guerre.

C'était, à cette époque, une passion commune à tous, que celle des armes, et un seigneur qui aurait évité une occasion d'exposer sa vie en combattant, eût été honni et déshonoré.

La chevalerie n'avait pas d'autre but que de former des hommes de guerre et de glorifier la vaillance, cette première vertu de la noblesse.

Pendant que Louis d'Orléans se faisait vêtir par ses valets de chambre, Bonne d'Armagnac, qui devait présider avec lui le puy de rhétorique, descendit dans le verger, pour essayer de dissiper les sombres nuages dont sa pensée et son front étaient obscurcis.

Elle portait sous son bras le manuscrit des poésies de son mari, parce qu'elle le lisait sans cesse et ne le quittait pas plus qu'un talisman ou une amulette. Elle ne commença pas toutefois sa lecture: elle était tombée dans une rêverie amère, en se disant que le duc d'Orléans ne lui pardonnerait pas la ruse qu'elle avait employée pour l'empêcher de faire son devoir de prince et de rejoindre l'armée du roi.

Isabeau de Grailly et Hermine de Lahern ne tardèrent pas à venir la retrouver sous une treille où elle s'était arrêtée machinalement dans sa promenade solitaire.

La duchesse avait un magnifique costume qui rehaussait l'éclat de sa beauté noble et majestueuse.

Sur sa tête s'élevait le *hennin* ou bonnet à cornes, en forme de demi-cercle, cette coiffure singulière que la reine Isabeau de Bavière avait empruntée aux modes de son pays, et que les dames de la cour adoptèrent avec tant de fureur que les prédicateurs en chaire traitaient le *hennin* d'invention du diable. Celui de Bonne d'Armagnac était en soie rouge brodée d'argent, avec garniture de canetilles d'or et de perles qui s'entrelaçaient en façon de feuillages.

Le *surcot*, qui, comme son nom l'indique, se portait par-dessus la cotte, ressemblait assez au vêtement qu'on appelle maintenant *visite* et que les femmes ont ajouté à leur toilette d'hiver, si ce n'est que le surcot dessinait exactement la taille et se découpait en basques arrondies sur les hanches; le surcot de la princesse, qui n'avait pas de manches, et qui laissait voir celles de sa robe en satin vert, se composait d'un corsage en damas blanc, offrant sur la poitrine deux larges bandes de fourrures de *menu vair* ou petit gris, qui suivaient le contour des basquines.

La jupe, mi-partie ou divisée en trois zones de différentes couleurs, en avait une seule verte, semblable aux manches; les deux autres étaient blanche avec des fleurs de lis et des lions d'or, et amarante avec des rosaces d'argent.

Un riche manteau de brocard, analogue à la dalmatique d'un évêque, tombait sur ses épaules et s'attachait par devant au moyen d'une grosse agrafe de perles; une espèce de ceinture massive d'orfévrerie, qui cachait le surcot, ne se révélait que par son extrémité ou *pendant* qui tombait jusqu'au bas de la jupe.

La longueur de ce pendant se mesurait en raison du rang de la femme qui portait ceinture; la ceinture, dans tous les cas, était un signe distinctif de noble extraction, ce qui donna lieu au proverbe: «Mieux vaut bonne renommée que ceinture dorée.»

Les deux damoiselles d'honneur de la duchesse n'étaient pas moins richement habillées.

Isabeau avait aussi le surcot garni de fourrure et la ceinture d'orfévrerie; mais celle-ci se déployait autour des reins, et son *pendant* n'atteignait pas le milieu de la jupe, également mi-partie rouge et blanche, en soie brochée d'argent, aux armes de la maison de Grailly.

Le surcot violet, avec bordure de martre zibeline, était sans basques et allait s'arrondissant sur les hanches, de même que le corset qui fait la base de la toilette d'une femme aujourd'hui, et qui n'est autre qu'un surtout dégénéré ou perfectionné.

Isabeau n'avait pour coiffure qu'une sorte de calotte ou chaperon de drap d'or, d'où s'échappaient ses beaux cheveux noirs épars sur son cou et ondoyant autour d'elle.

Quant à Hermine de Lahern, elle n'avait pas renoncé aux modes de son pays natal.

Ses cheveux blonds flottants encadraient sa figure comme d'une auréole et se répandaient en boucles abondantes derrière son corsage; elle était coiffée d'un haut bonnet de forme conique, pareil à celui que les Cauchoises ont conservé; ce bonnet, d'étoffe bleue couverte de point de Venise, se terminait par un ample voile qui aurait pu l'envelopper tout entière.

Elle portait deux robes: celle de dessous en brocard, à damier noir et argent; celle de dessus, formant juste au corps, à manches ouvertes et tombantes, en drap de soie blanc, fourré d'hermine, emblème de son nom.

Elle n'avait pas de ceinture d'orfévrerie, mais un *carcan* ou collier de perles à trois rangs, ainsi que des *aureillettes* ou boucles d'oreilles à pendeloques formées de ces mêmes perles, qui se pêchaient sur les côtes de Bretagne, et qui passaient pour venir de l'Inde.

—Ma très-chère dame, dit Hermine à la duchesse d'Orléans, savez-vous le bruit qui court ici: l'armée du roi et celle d'Angleterre sont en présence devers Saint-Pol et Azincourt, en sorte que la bataille se donnera demain, si donnée elle n'est à cette heure.—Or çà, ma mie, allez-y si bon vous semble, et bataillez à votre aise, repartit brusquement Bonne d'Armagnac, mais gardez-vous de parler bataille céans, où l'on n'y songe guère, car je vous enverrais plutôt en un couvent de Bretagne.—Un couvent me conviendra fort, madame, pour y prier en mémoire des vaillants chevaliers qui mourront aujourd'hui ou demain.—Voilà une résolue batailleuse! dit la duchesse en se tournant vers Isabeau, qui semblait triste et recueillie. Nous ne la fiancerons pas comme toi, Isabeau, à quelque bon gentilhomme, mais nous en ferons une béguine ou cordelière qui priera pour nous en son moutier.—Mieux vaudrait n'être pas fiancée, reprit la damoiselle de Grailly, que d'essuyer les reproches et les dédains de messire Philippe de Boulainvilliers, qui menace de se tuer s'il ne va pas combattre les Anglais!—Monseigneur ne vous excusera jamais, ajouta la damoiselle de Lahern, de l'avoir retenu en sa chambre, quand il y a guerre et bataille.—Oh! ma très-honorée dame, dit Isabeau, nous n'avons pas refusé de vous obéir, et pourtant messire de Boulainvilliers m'a déclaré que c'était faire honte et affront à monseigneur, que de le garder ainsi prisonnier, sans l'avertir même du mandement du roi, qui a fait lever l'oriflamme.—Quels regrets ce sera pour vous, madame, dit Hermine, si les Français perdent cette journée, faute du secours de leur valeureux prince, monseigneur le duc d'Orléans! quels regrets aussi, chère et bonne dame, si monseigneur n'a pas sa part dans une belle victoire!—M. de Boulainvilliers m'a dit que les capitaines de mon redouté seigneur étaient déterminés à s'en aller d'eux-mêmes se réunir au camp des Français?—On s'émerveille grandement partout, ma très-honorée dame, que, vous, fille du brave comte d'Armagnac, et femme du très-valeureux duc d'Orléans, vous demeuriez neutre et insensible à ces bruits de guerre qui font palpiter les cœurs des nobles dames.—Il n'est plus temps peut-être de partir en armes et de déployer au vent la bannière d'Orléans?—Il est toujours temps de faire son devoir et de se conduire généreusement en gentilhomme et en prince!—Eh! quoi! mes filles! s'écria la duchesse, ébranlée par ces attaques redoublées qui venaient battre en brèche sa résolution déjà chancelante: vous voulez que je livre monseigneur à la mort, comme un mouton qu'on mène à la boucherie?—Dieu m'est témoin, ma très-honorée dame, répondit Hermine, que je verserais tout mon sang pour épargner la moindre goutte du sang de monseigneur!—Pensez-vous donc, ma très-excellente dame, ajouta Isabeau avec inquiétude, que tous ceux qui vont à la guerre n'en reviennent pas?—Allez, mes filles, nous avons chacune, au fond de notre cœur, une secrète voix qui nous annonce l'avenir, et nos pressentiments ne sont que des avertissements envoyés du ciel sur ce qui doit advenir. Or, j'ai ferme assurance que monseigneur me sera pour toujours ravi, s'il me quitte en cette occasion, et que, le voyant me quitter, je l'aurai vu pour la dernière fois! — Hélas! madame, répliqua Isabeau de Grailly, il me semble qu'il en sera de même de mon fiancé! — Ce sont chimères et mensonges que ces pressentiments, mon honorée dame, repartit la damoiselle de Lahern. Certes, si je me fiais à des présages et à des imaginations semblables, je croirais que c'en est fait du beau royaume de France et de la gentille noblesse française! — Le jour, la nuit, je suis poursuivie de fantômes et d'images sinistres, dit la duchesse: tantôt je me vois en habits de deuil; tantôt je pense être en prison et chargée de chaînes de fer; tantôt monseigneur m'apparaît, mort et percé de coups... O mon Dieu: qu'adviendra-t-il de tout ceci? — N'avez-vous pas, très-honorée dame, dit Isabeau, consulté les sorts et les horoscopes? — Je n'ai, ma mie, consulté que mon cœur, et mon pauvre cœur m'a répondu que cette guerre serait bien fatale à monseigneur. — Plaise à Dieu qu'elle ne soit plus fatale à mon beau pays de France et au roi notre sire! murmura Hermine. — Que n'interrogez-vous les sorts des lettres? continua Isabeau. Vous n'aurez que faire de mander des devins ou des astrologues. Prenez tel livre que vous voudrez; ouvrez-le en invoquant le destin, et voyez ce que vous annoncera la première lettre au commencement de la page, à votre droite: les douze lettres, qui font la tête de l'alphabet, depuis l'*a* jusqu'au *l*, sont heureuses et de bon augure; les autres, depuis le *m* jusqu'à la fin, sont malheureuses et de méchant présage. Jamais, dit-on, cet horoscope n'a induit en erreur et abusé personne au monde. — Vraiment! ne l'as-tu pas essayé pour ton propre compte? demanda la duchesse, en ôtant les signets du volume qu'elle avait par hasard sous la main. — Nenni, ma très-chère dame, reprit naïvement la damoiselle de Grailly, j'appréhendais trop de me préparer un mauvais sort. — Ce n'est rien qu'une lettre pour connaître l'avenir, dit la damoiselle de Lahern; il faut s'attacher au premier mot qui se présente à l'ouverture du livre, et même, parfois, on retient le sens de la ligne ou de la phrase qui est au commencement de la page. J'en ferai l'épreuve pour ma part, si vous le trouvez bon, madame, et je conjure la fortune d'être propice à mes désirs.

La duchesse d'Orléans tenait le livre fermé, et ses deux compagnes, debout, à ses côtés, regardaient avec anxiété ce livre prophétique, entre les feuillets duquel Hermine de Lahern se hasardait à chercher l'oracle de l'avenir.

Celle-ci indiqua du doigt l'endroit où elle voulait ouvrir le volume, et posa la main sur le feuillet où se trouvaient la lettre, le mot et la phrase qu'elle devait interpréter pour connaître son sort. La page commençait par ce vers:

Prison auras avec ton noble maître.

La princesse tressaillit et relut plusieurs fois ce vers en silence.

—La lettre et le mot ne sont guère favorables, dit la jeune fille, mais la phrase l'est davantage, si le sort me donne à partager le sort de monseigneur.—Ce pronostic n'a pas et ne peut avoir de sens, repartit Bonne d'Armagnac, d'autant que monseigneur n'est pas prisonnier... Mais, vraiment! s'écria-t-elle, en riant, voici déjà le sort accompli, car c'est moi qui ai mis en captivité monseigneur d'Orléans, de peur qu'il ne s'en aille à l'armée du roi, et tu es pareillement captive, ma douce Hermine, en notre châtel de Coucy. Çà, Isabeau, à ton tour de faire parler le sort à ton profit!

Isabeau de Grailly rougit et ne répondit pas: elle eût bien souhaité ne pas s'exposer à évoquer une mauvaise chance, mais elle n'osait pas résister à un désir, encore moins à un ordre de sa maîtresse.

Elle écarta donc les feuillets du livre d'une main tremblante, et rencontra ce vers qui, malgré le fâcheux caractère de sa première lettre, commençait par un mot qu'elle eût choisi elle-même et contenait un présage qu'elle accueillit avec un battement de cœur, un sourire de joie et un redoublement de rougeur:

Mariage est la fin de tes ennuis.

—Oui-da, ma fille, dit la duchesse avec gaieté, les horoscopes de ce livre ne sont pas si contraires que je l'appréhendais. Au fait, rien que de bon ne peut sortir de l'œuvre de monseigneur, et j'ai à cœur que ce beau mariage se fasse le plus prochainement possible, pour mettre fin à tes ennuis.—Çà, ma très-chère dame, dit Hermine, ne vous plaît-il pas de consulter aussi les sorts, pour savoir ce qui adviendra de la guerre des Anglais?—Je me soucie bien de cette guerre, vraiment! Il n'y en aura pas même un écho jusqu'ici, et je ne craindrai pas pour les jours de mon époux bien-aimé.—Voyons ce que vous conseille, en cette occurrence, l'horoscope des lettres! Faut-il que monseigneur demeure céans ou rejoigne l'armée? — Il demeure et demeurera céans, te dis-je; car j'aime mieux qu'il vive avec moins d'honneur, que de le voir mort avec plus de triomphe. — Ouvrez un peu le livre, madame, et demandez-lui s'il convient qu'un duc d'Orléans reste au logis et se tienne coi, quand on va livrer bataille? — Ne me tentes-tu pas comme le serpent du paradis terrestre, dit tristement Bonne d'Armagnac, et n'est-ce pas manger le fruit de l'arbre défendu de la science?

La duchesse, un moment indécise, ouvrit brusquement le volume, et lut avec effroi ce vers menaçant, au commencement de la page:

Morte de deuil en pleurant tant de morts.

Elle faillit laisser le livre s'échapper de ses mains; ses yeux se voilèrent et une douleur poignante s'empara d'elle.

Hermine de Lahern regardait avec stupeur cet arrêt de mort qu'elle essayait en vain d'interpréter d'une manière rassurante. La damoiselle de Grailly, saisie d'une émotion indéfinissable, approcha ses lèvres de la main de Bonne d'Armagnac et y déposa un baiser qui ressemblait à un adieu funèbre.

— Hermine, lui dit solennellement la duchesse, c'est vous qui l'avez voulu, c'est vous qui m'avez ôté la consolation de l'espérance! — Ne vous méprenez pas sur le vrai sens de ce pronostic, très-vénérée dame, répondit la damoiselle de Lahern, avec autant d'embarras que d'anxiété: cela s'entend de la bataille, qui fera beaucoup de morts et qui rendra quasi la France morte de deuil... — Il sera temps d'y penser, le cas échéant, reprit froidement la duchesse; quant à cette heure, il n'est pas question de bataille causant mort d'hommes, mais tant seulement de bataille poétique entre les concurrents du puy de rhétorique. Malheur à qui réveillera monseigneur!

Les trompettes sonnèrent pour annoncer l'ouverture de puy de rhétorique, et un orchestre, composé de flûtes, de hautbois, de violes et de *rebecs* ou violons à trois cordes, fit entendre une symphonie lente et douce.

La musique de ce temps-là, n'ayant que des instruments faibles, monotones et imparfaits, se bornait à filer des sons et n'exécutait que des espèces de gammes chromatiques, en montant et en descendant, sans ensemble et sans énergie; elle rencontrait pourtant quelquefois un chant gracieux et touchant malgré sa simplicité et son uniformité.

VI

La galerie des Armes, où la cérémonie devait avoir lieu, était remarquable par sa longueur plutôt que par son élévation. Le plafond, soutenu par des poutrelles ou lambris peints en rouge, représentait un ciel d'azur étoilé; les murailles, également peintes à la détrempe, avaient pour ornements une série d'écussons ou armoiries appartenant à l'ancienne famille de Coucy, qui était alors éteinte et dont la maison d'Orléans possédait les domaines seigneuriaux.

De chaque côté de la galerie, s'élevaient des trophées d'armes offensives et défensives, des mannequins couverts d'armures de différentes époques et de différents pays, des faisceaux de lances, de haches et d'épées, des amas de casques et de boucliers aux formes les plus variées et les plus bizarres.

A l'extrémité de la salle, on avait disposé le *puy*: c'était une estrade, exhaussée de trois pieds au-dessus du plancher, couverte de nattes en paille et décorée d'un dais ou baldaquin fleurdelisé, sous lequel devait s'asseoir le duc d'Orléans.

Ce prince entra le premier dans la salle, suivi de sa femme et des juges du puy, choisis parmi les dames et les officiers de sa maison.

Il était si faible, que son secrétaire Fredet soutenait sa démarche chancelante; son visage pâle, ses lèvres blêmes et ses yeux éteints témoignaient assez de l'altération de sa santé, qui n'était que le résultat d'une longue diète, d'une triste préoccupation et d'un manque absolu d'air et d'exercice.

Il portait des vêtements noirs, suivant le vœu que sa mère Valentine avait fait pour lui; mais il avait passé autour de son cou plusieurs grosses chaînes avec les insignes des ordres de chevalerie qu'il pouvait opposer à celui de la Toison-d'Or, créé et distribué par le duc de Bourgogne.

Il se traîna jusqu'au fauteuil qui lui était destiné; à ses côtés, se plaça, sur un siége plus bas, la duchesse d'Orléans; derrière eux, les personnes composant le tribunal poétique se rangèrent sur des bancs garnis de tapis armoriés.

Dans la salle, dont les portes s'ouvrirent alors aux invités, une foule compacte de curieux empressés se précipita vers l'étroit espace réservé au public subalterne, tandis que les gentilshommes, donnant la main aux dames et aux damoiselles en habits de gala ou de cérémonie, vinrent processionnellement, en saluant le duc et la duchesse, occuper les places auxquelles ils avaient droit selon leur naissance et leur rang.

Un héraut d'armes, sa baguette blanche à la main, monta les degrés de l'estrade et s'agenouilla devant le duc pour recevoir ses ordres; puis, s'étant relevé, il imposa silence à l'assemblée, en agitant sa baguette.

—Mesdames et messeigneurs, dit-il à haute voix, nous vous faisons assavoir que le prix du meilleur rondel sera une rose de vermeil ornée de deux perles en imitation de gouttes de rosée, signifiant que les dons du ciel ne font pas défaut aux merveilles de la nature. En outre, la meilleure chanson aura pour prix et récompense un beau lis d'argent, sur lequel est posée une mouche d'or et de diamant, signifiant que candeur et innocence sont les trésors de l'âme; finalement, la meilleure ballade sera honorée d'une couronne de fin or, diaprée de rubis et de saphirs, signifiant que les poëtes sont les princes de ce monde terrestre, et que les princes doivent aspirer à égaler les poëtes.

Les instruments à vent et à cordes recommencèrent leurs symphonies, qui ne s'arrêtaient par intervalles que pour laisser entendre la lecture des pièces de vers présentées au concours.

L'exemple du maître est toujours un commandement: la plupart des officiers du duc d'Orléans tenaient donc à honneur de se distinguer dans cette joute littéraire, à laquelle présidait lui-même ce prince qui n'estimait rien tant que la belle *rhétorique*.

Les auteurs s'avançaient tour à tour au pied de l'estrade, et lisaient leurs poésies, avant d'en déposer le manuscrit entre les mains de Bonne d'Armagnac. Après chaque lecture, les juges délibéraient et allaient aux voix, en prenant d'abord l'avis de la duchesse.

L'assemblée avait le droit d'exprimer son opinion par des bravos, mais non par des huées, le silence étant la seule marque permise de désapprobation.

—Monseigneur, et vous, ma très-haute et très-puissante dame, dit Fredet, en s'inclinant avec respect, vous plaît-il d'admettre au concours un jouteur inconnu qui ne veut pas nommer son nom, et qui n'a pu assister à cette journée, faute d'être reçu au châtel. — Maître Fredet, interrompit Bonne d'Armagnac inquiète de cet épisode imprévu, la loi du puy de rhétorique exige que les concurrents y comparaissent en personne, et surtout qu'ils soient de bonne vie et mœurs; ce pourquoi convient-il qu'ils se nomment... — A moins que le chef suprême du puy les dispense de se nommer, répliqua Charles d'Orléans, qui sentait ses forces renaître et qui s'applaudissait d'avoir quitté son lit. Or, il importe que je sois instruit des raisons qui invitent le nouveau poëte à nous celer son nom. — Je m'excuse, monseigneur, d'être son avoué et avocat, d'autant que je ne le connais pas davantage, reprit Fredet que la demoiselle de Lahern encourageait du regard à parler. C'est une flèche qu'on a lancée dans le châtel par-dessus la muraille, et où se trouvait attaché cet écriteau: «Quiconque ramassera ceci est convié et supplié de porter, au puy de rhétorique de monseigneur, le rondel enfermé sous ce pli et scellé de ce cachet. Si d'aventure ledit rondel est jugé digne du prix, ledit prix appartiendra à celui qui aura été son parrain et avocat audit puy de rhétorique.» — Voilà une plaisante façon d'entrer en lice! s'écria gaiement le duc d'Orléans. Çà, Fredet, je t'autorise à être le parrain de ce jouteur inconnu. — Ah! monseigneur, reprit la duchesse, qu'un pressentiment douloureux avait fait pâlir, c'est enfreindre la loi des puys de rhétorique! — Nenni, madame, puisque j'admets ce rimeur, quel qu'il soit, noble ou vilain, à disputer le prix de la rose. — Et si ledit rimeur, mon très-redouté seigneur, n'était autre qu'un malfaiteur, condamné et décrié pour ses forfaitures, un larron?... — Fi donc! jamais larron, jamais mauvais garçon ou bandit n'a pratiqué le gentil métier de poésie et art de rhétorique! — Oui-da; mais si ce rondel contenait choses mal sonnantes et attentatoires à l'honneur des dames? — Maître Fredet qui le doit lire verra du premier coup ce qu'il convient de faire. Je gage, au contraire, que ce rondel vient de quelqu'un de la cour du roi, de messire Olivier de la Marche, du roi de Sicile, de mon oncle de Berry. Or, écoutez, beaux juges du puy!

Il se fit un silence général dans l'assemblée, que la curiosité tenait immobile et attentive.

Madame d'Orléans n'avait pas osé résister plus longtemps en public à une volonté formelle de son mari: ses yeux s'étaient remplis de larmes, et elle laissa tomber son front dans sa main. Le souvenir de l'horoscope des lettres lui revint, en ce moment, avec de nouvelles angoisses.

Maître Fredet, satisfait de l'importance qu'il s'était donnée à l'occasion d'un épisode dont il ignorait lui-même la portée, coupa les lacs de soie engagés dans le cachet sans armoiries, qui fermait un papier plié en forme de missive, et il lut aussitôt, d'un accent ferme et vibrant, ce rondel qu'il ne comprit bien qu'après en avoir fait lecture.

Gentil duc, quand on crie aux armes,
Demeurez-vous point endormi?
Quand la France se noie en larmes,
Vous cachez-vous comme fourmi?
Quand le roi mande ses gens d'armes,
N'êtes-vous plus son grand ami.
Gentil duc, quand on crie aux armes!

— Aux armes! répéta une voix glapissante, qui partait de dessous un trophée d'armures et qui fut accompagnée d'un son de ferrailles que rendit le choc de deux armures. — Qu'est-ce que cela? demanda le duc, en se levant et portant la main à son côté pour y chercher une épée qu'il ne trouva pas. — Les Anglais seraient déjà devant Coucy! s'écria involontairement Philippe de Boulainvilliers que ce bruit d'armes avait fait tressaillir. — Monseigneur, dit tristement la duchesse d'Orléans, n'est-ce pas messire Jean de Bourgogne qui vous envoie ce message? — Continuez de lire, Fredet, repartit le duc d'Orléans ému et agité de mille pensées turbulentes: j'ai hâte d'entendre la conclusion du rondel. — Comme parrain de l'auteur, dit Fredet décontenancé par les regards que lui lançait la duchesse, je requiers qu'il soit mis hors de cause. — Point, maître! insista le duc! ces vers sont beaux et honorables; je souhaite qu'ils méritent la rose de vermeil.

Fredet obéit à regret et reprit sa lecture, en baissant la voix de telle sorte qu'elle parvenait à peine jusqu'à l'extrémité de la salle, malgré le profond silence qui y régnait.

Le duc ne s'était pas rassis, quoique ses jambes tremblassent sous lui, et il s'interrogeait tout bas pour découvrir un mystère que lui annonçait l'anxiété peinte sur tous les visages: il prêtait encore l'oreille à ce bruit d'armes, qui ne retentissait plus.

Il ne perdit pourtant pas un seul mot de la lecture de cette seconde strophe du rondel.

Ayez le cœur haut affermi,
Maniez lances et guisarmes!
L'Anglais a fait assez d'alarmes:
Sus donc! courez à l'ennemi,
Gentil duc, quand on crie aux armes!

—Aux armes! aux armes! répéta la même voix, qu'on avait déjà entendue sortir des armures et qui cette fois ressemblait à un tocsin.

On ne voyait personne.

Mais, du milieu des casques et des cuirasses amoncelés, s'élevait un bras nu, armé d'une de ces lourdes masses de fer hérissées de pointes, que les anciens chevaliers portaient dans les batailles pour assommer leurs adversaires, après avoir fait usage de l'épée et de la lance: cette masse retombait sans cesse sur les armes, comme un marteau sur une enclume, et faisait un épouvantable vacarme qui mit en rumeur toute l'assemblée, comme si le château était surpris et assiégé par les Anglais.

Une terreur panique s'emparait déjà des assistants, lorsque quelques-uns, plus braves ou plus curieux, s'approchèrent pour rechercher la cause de cette alerte et trouvèrent le fou du duc d'Orléans blotti dans le ventre d'une énorme cuirasse.

—C'est Bejaune! cria-t-on de toutes parts, les uns riant, les autres s'entre-regardant. — Bejaune? dit sévèrement le duc d'Orléans.

Devant lui, le fou fut amené, la tête entièrement cachée dans une *salade*, sorte de casque en fer battu sans visière et sans crête ni panache.

—Pourquoi as-tu crié de la sorte et causé pareil tumulte? lui demanda-t-il. Es-tu vraiment fol devenu? — Aux armes! aux armes! répéta Bejaune, brandissant et secouant la masse de fer qu'il tenait encore à la main. L'Anglais! l'Anglais! l'Anglais! — Eh! monseigneur, dit la duchesse qui fit signe d'éloigner le bouffon, avez-vous ouvert un puy de rhétorique pour donner audience à un fol d'office? Ne voyez-vous pas que Bejaune a voulu proclamer à sa façon ce méchant rondel, dont il est peut-être l'auteur? — Ce rondel a sans doute un sens prophétique, reprit d'une voix sombre Charles d'Orléans qui ne remarquait autour de lui que visages inquiets et consternés. Il m'a semblé, en l'écoutant, que c'était moi qu'on avertissait de venir à la bataille... — Mon bon seigneur, interrompit la princesse, vous avez eu grandement tort de vouloir tenir un puy de rhétorique quand vous êtes si débile et si malade encore. A peine pouvez-vous, hélas! vous soutenir. Vous ferez mieux de retourner en votre chambre et de vous remettre au lit. — Aux armes! a-t-on dit, répliqua le prince.

Son imagination s'exaltait, en arrivant à des rapprochements de faits et d'idées qui le conduisirent presque à la vérité.

— Que parle-t-on des Anglais? les Anglais ne sont pas en France et n'y reviendront jamais! Si la guerre s'allumait de rechef, c'est en leur Angleterre qu'il faudrait aller les chercher!... Mais la trêve n'est-elle point expirée? car ce n'était qu'une trêve, et la paix restait à conclure... Que signifierait, d'ailleurs, cette flèche annexée à ce rondel belliqueux? La flèche est l'image de la guerre; c'est ainsi que dans la *Vie d'Alexandre*, écrite par Quintus Curtius, la nation scythe déclare qu'elle est prête à combattre le Macédonien... Oui, sur mon âme! cette flèche annonce la guerre, et le rondel qui l'accompagne en est comme le signal! Aux armes donc, et, s'il le faut, à la bataille! — Ah! monseigneur, mon vénéré seigneur! disait Bonne d'Armagnac fondant en larmes: ordonnez-vous que mon horoscope s'accomplisse: *Morte de deuil en pleurant tant de morts!* — Quel horoscope? reprit le duc dont la tête s'égarait davantage, par suite de la faiblesse extrême où l'avait mis la privation de nourriture. *Morte de deuil en pleurant tant de morts!* Qui a dit cela? qui a fait ce vers que je me remémore? Morte de deuil! qui est celle-là que le deuil a tuée? quels sont ces morts qu'elle pleure? Et vous, ma chère dame, comment vous trouvez-vous intéressée dans ce mystère? Philippe, mon ami, va-t'en faire préparer mon cheval et mes armes! Maître Fredet, je veux ouïr une messe en l'honneur du Saint-Esprit, devant que de partir pour la guerre!... Çà, messieurs, on me cèle quelque chose: on me laisse ignorer ce que je dois savoir!... Que s'est-il passé durant ma maladie?... Que se passe-t-il à cette heure?... Est-il venu des lettres de la part du roi notre sire ou de la part de mes beaux-oncles de Bourbon et de Berry? Est-il vrai que nous sommes en guerre avec les Anglais?... Ah! monsieur de Boulainvilliers, je veux être instruit de tout.

Ces questions adressées aux uns et aux autres, ces réflexions, faites à haute voix, se succédaient si rapidement, que la duchesse d'Orléans ne pouvait ni les arrêter ni les détourner. Elle donna ordre aux hérauts d'armes de faire évacuer la salle, et elle s'y trouva bientôt seule avec son mari, entourée de quelques dames et officiers de sa maison.

Tous les témoins de cette scène ne doutèrent pas que le prince ne fût gravement malade, et ses paroles incohérentes, prononcées d'un air hagard et accompagnées de gestes impatients, firent même croire que sa raison avait été atteinte.

Le duc d'Orléans, après cet accès de surexcitation nerveuse, retomba dans un morne accablement. Il avait arraché des mains de Fredet le papier où était écrit le rondel mystérieux, et il le relisait sans cesse à demi-voix pour en découvrir le sens ainsi que l'origine.

L'exaltation de son cerveau s'augmentait à chaque instant, et les *physiciens*, qui furent appelés, ne dissimulèrent pas à la duchesse que l'état du duc était assez grave pour qu'on eût à en craindre les suites: la démence pouvait éclater d'un moment à l'autre, comme celle du roi Charles VI.

— Hélas! ma très-honorée dame, dit Hermine de Lahern à la duchesse, monseigneur eût été moins en péril sur le champ de bataille, vis-à-vis des Anglais, que dans son lit, vis-à-vis des physiciens et apothicaires! Dieu fasse que vous me permettiez de le soigner à ma guise et de le ramener en santé!

VII

Charles d'Orléans fut transporté dans son lit, sans qu'on parvînt à lui enlever ce papier, sur lequel il ne cessait de fixer les yeux, quoiqu'il sût par cœur le rondel dont il commentait chaque vers et chaque mot.

Il demeurait indifférent à tout le reste, comme s'il ne voyait pas, comme s'il n'entendait pas les personnes qui s'approchaient de son lit.

La duchesse fondait en larmes et priait, derrière les rideaux qu'elle entr'ouvrait par intervalles pour voir si l'agitation du malade se calmait.

Isabeau de Grailly, assise auprès d'elle, pleurait aussi, sans essayer de la consoler.

La damoiselle de Lahern s'indignait tout bas de l'ignorance des médecins qui s'obstinaient à traiter une maladie là où il n'y avait qu'un affaiblissement physique et moral, causé par la diète, le régime sédentaire et la préoccupation.

Le bruit s'était répandu dans le château que le duc d'Orléans touchait à l'agonie.

— Madame, dit Hermine à la duchesse, monseigneur s'en va mourir ou entrer en frénésie, à moins que vous ne me donniez congé de sauver sa raison et sa vie? — Les Anglais! les Anglais! criait le duc, en roidissant les bras et en battant l'air de ses poings: n'est-ce pas mon cousin de Bourgogne, qui les a fait venir et qui leur livre le noble royaume de France? Toute trahison est du fait de notre damné cousin! Par la mort-Dieu! je serai bien aise de le rencontrer en bataille et de le payer de mes vieilles dettes! Avez-vous pas encore fourbi mon armure et affilé mes armes? Boulainvilliers, as-tu rangé ma compagnie d'ordonnance? la bannière d'Orléans est-elle déployée? O ma bonne épée, viens là, que je te taille une glorieuse besogne! — Madame, rappelez-vous le roi Charles, dit encore Hermine à la duchesse: il fut ainsi malade et pris de fortes fièvres, sans que les physiciens connussent son mal et y remédiassent; puis, ce mal empirant, il tomba en démence et fureur, où il est encore après vingt ans. — Hélas! ma fille, que voudrais-tu faire? reprit tristement Bonne d'Armagnac. Rappelle-toi aussi mon horoscope: *Morte de deuil en pleurant tant de morts!* J'aime mieux voir monseigneur gisant de sorte en son lit, que de le voir sur un champ de bataille! — Empêchez donc d'abord que monseigneur ne meure ici de faim, madame, et laissez-moi lui donner de quoi se réconforter; car vous savez, comme moi, que votre redouté seigneur n'a d'autre mal que défaut de nourriture; or, sa grande faiblesse de corps cause seule cette faiblesse d'esprit. — Eh bien, ma chère fille, je te donne pouvoir de faire ce qu'il faut pour la santé de monseigneur. — Merci, merci, vous dis-je, ma très-douce dame! je vous promets que demain monseigneur sera remis en pied; et pour ce faire, je vais d'abord renvoyer ces ânes fourrés de médecins qui l'assassinent de leurs recettes et de leurs drogues.

Hermine de Lahern, s'autorisant des ordres particuliers de la duchesse, congédia les médecins qui discutaient entre eux sur la maladie du prince; elle fit sortir aussi les officiers de la maison, qui entouraient le lit et qui, par leur présence, augmentaient l'exaltation du malade.

Ensuite elle invita sa maîtresse à se retirer de même, et elle lui jura qu'elle ne quitterait pas le chevet du duc qui avait besoin de repos et de silence.

Bonne d'Armagnac, accablée de fatigue, après tant de jours et tant de nuits pendant lesquels l'inquiétude l'avait tenue éveillée, consentit enfin à donner quelques heures au sommeil, et passa dans sa chambre, avec Isabeau qui couchait près d'elle.

Hermine, restée seule avec Fredet pour garder le prince, qui était retombé dans un morne abattement, fit apporter une collation composée de mets légers et succulents, de vin généreux et de pain *curial* ou de cour, espèce de pain mollet fait de fine fleur de farine.

— Monseigneur, dit-elle en s'approchant du lit, vous plairait-il de prendre un peu de nourriture pour vous réconforter?

Charles d'Orléans la regarda avec étonnement et ne lui répondit pas.

Elle lui présenta alors une de ces soupes exquises que nos ancêtres savaient faire avec un mélange de viandes, de légumes et d'épices réduits en purée par une longue cuisson. On était si friand de soupes à cette époque, que l'art culinaire en avait inventé un très-grand nombre d'espèces différentes, qui ne nous sont plus même connues de nom.

—Monseigneur, lui dit-elle encore, vous avez besoin de vous refaire et de gagner des forces, si vous voulez monter à cheval et aller à la guerre?

Charles d'Orléans, surpris de ce langage, fixa sur la damoiselle de Lahern un regard scrutateur, eut l'air de réfléchir et de s'interroger, puis se mit à faire honneur au repas qu'on lui offrait.

Son appétit, qui n'était qu'engourdi par les boissons fades et sucrées, ne fut pas longtemps à se montrer. Il mangeait donc avec un plaisir extrême, et il se sentait revivre à chaque bouchée, tellement qu'il ne comprenait pas lui-même ce prompt retour à son état ordinaire de santé.

—Monseigneur, lui dit Hermine en lui versant à boire, certes vous boirez de grand cœur au salut de la France et à la confusion des Anglais?—Encore les Anglais! s'écria le duc; qui avait tressailli à ce nom et qui crut encore entendre retentir le bruit des armes. Puissé-je les rencontrer en bataille!—Monseigneur, vous les rencontrerez! dit à voix basse Hermine; mais auparavant, dormez, s'il vous plaît, pour achever votre guérison. Je vous adjure tant seulement, mon redouté seigneur, de ne vous fier à nul, excepté à moi et au bonhomme Fredet: dormez donc ou faites-en le semblant, jusqu'à ce que je revienne vers vous.—Fredet, mon ami, qu'est-ce donc qui se passe? demanda le prince qui se sentait tout disposé à s'abandonner aux conseils de la damoiselle de Lahern.—Il se passe ceci, mon bon seigneur, répondit Fredet, que cette gente damoiselle vous a guéri mieux que n'eussent fait tous les physiciens du monde.—De fait, je me trouve quasi réconforté et je veux me lever tout à l'heure pour retourner au puy de rhétorique...—Monseigneur, mon cher sire, interrompit Hermine, ayez confiance absolue en nous, et pensez que vous avez autre devoir à remplir que de tenir un puy de rhétorique en votre châtel; mais attendez qu'il soit nuit, pour savoir ce qui est à faire, et jusque-là ne parlez à personne.

La porte s'ouvrit, et la duchesse d'Orléans, qui n'avait pas voulu s'endormir avant de se rendre compte de la situation du malade, entra doucement.

Le duc, cédant à l'empire que la damoiselle de Lahern exerçait sur lui, avait fermé les yeux et feignait de dormir. Celle-ci fit signe à Fredet de la suivre et alla vers la princesse qu'elle empêcha d'avancer.

—Monseigneur sommeille, lui dit-elle à voix basse; je suppose qu'il dormira longtemps, à Dieu plaise! Demain, au réveil, il sera rétabli en sa santé première, sans autre médecine que ce repas qu'il a pris de grand appétit. — Ainsi, à ton avis, n'a-t-il aucun souci des événements de la guerre? répliqua Bonne d'Armagnac contemplant la figure calme du prince qui paraissait endormi et qui ne perdait pas une parole de cet entretien. — Il rêvera peut-être des Anglais, dit Fredet en souriant; mais assurément il ne dormirait pas, s'il connaissait les nouvelles. — Il les saura toujours assez tôt, reprit Hermine; le somme et la nourriture lui rendront les forces qu'il faut pour aller à la guerre... — Il n'ira point, sur ma vie! s'écria la duchesse: je ne veux pas mourir, en pleurant sa mort! — Retournez en votre chambre, ma très-excellente dame, et s'il se peut, imitez monseigneur qui dort de grand courage. Nous apprendrons demain si l'armée du roi de France a taillé en pièces l'armée du roi d'Angleterre, et si monseigneur d'Orléans est encore au lit.

Ils sortirent tous de l'appartement du prince.

Celui-ci, qui avait entendu cette conversation, ne douta plus que la guerre ne fût rallumée en France. Il était sur le point d'interpeller la duchesse et Fredet, de demander des explications qu'on n'eût pas osé lui refuser, et même de partir à l'instant pour se transporter là où sa présence serait utile; mais un geste d'intelligence, que lui adressa Hermine de Lahern en se retirant, le retint dans son sommeil simulé et lui donna la patience d'attendre.

Il avait bien deviné que sa femme s'opposait à ce qu'il fût instruit des événements, dans la crainte qu'il ne voulût y prendre part. Il n'eut d'ailleurs qu'à se rappeler toutes les circonstances du retour de Fredet et de Philippe de Boulainvilliers, pour être certain qu'on lui avait caché un secret important.

Il espéra donc que la damoiselle de Lahern ne tarderait pas à venir lui révéler ce secret. Il prêtait l'oreille au moindre bruit; il croyait, à chaque minute, que la porte se rouvrait; il se soulevait sur le coude pour mieux écouter les rumeurs du dehors: il se figurait, dans sa préoccupation, entendre au loin des détonations d'artillerie et des cliquetis d'armes.

Enfin, ses paupières s'abaissèrent, son agitation s'apaisa, et il tomba par degrés, malgré lui, dans un profond sommeil.

La duchesse d'Orléans n'avait pas moins besoin de repos; mais elle ne s'y livra qu'après avoir fait promettre à Fredet et à Hermine de Lahern de veiller sur le prince et de ne laisser personne s'approcher de lui jusqu'à ce qu'elle eût repris elle-même son poste de gardienne ou plutôt de geôlière.

—Je vous jure ma foi, très-honorée dame, avait dit avec émotion la damoiselle de Lahern, que je ne quitterai pas monseigneur et que je le garderai en votre lieu et place!

La duchesse dormait donc pendant que Fredet et sa jeune compagne veillaient, en échangeant quelques paroles à voix basse, dans une petite galerie qui précédait la chambre du prince.

VIII

Il était environ dix heures du soir; le château tout entier semblait enseveli dans les ténèbres et dans le silence.

On n'entendait pas d'autre bruit que le grincement des girouettes de fer sur les tourelles et les cris des chouettes perchées sur les créneaux. Le couvre-feu était sonné depuis longtemps, et aucune lumière ne brillait aux fenêtres, excepté à celle de la chambre du duc d'Orléans.

Un homme venait d'entrer dans cette chambre avec une lampe qu'il posa sur le plancher.

Le duc, qui s'éveilla en sursaut dans le cours d'un rêve où les Anglais avaient joué un rôle belligérant, ne fut pas peu étonné de voir, à quelques pas devant lui, un page ou écuyer, couvert d'armes brunies et la visière baissée.

Il crut, au premier moment, que c'était un assassin qui venait le frapper dans son sommeil, et il se disposait à chercher de quoi se défendre, lorsque ses appréhensions furent calmées aussitôt par la contenance respectueuse de l'inconnu qui avait mis un genou en terre et qui lui présentait une lettre scellée de cire rouge à deux lacs de soie pendants.

—Qui es-tu? demanda le prince, avant de prendre cette lettre: d'où viens-tu? que veux-tu?—Mon redouté seigneur, reprit l'écuyer avec une voix douce et tremblante que Charles d'Orléans n'entendait pas pour la première fois, je viens, de la part du roi notre sire, vous apporter ces lettres et vous prier d'y avoir égard; quant à ce que je suis, ne doutez pas que je ne sois votre très-humble serviteur.

Le duc prit la lettre sans aucune défiance, en brisa les cachets et la lut tout bas, tandis que le messager tenait la lampe élevée en l'air, de manière à l'éclairer dans sa lecture, qui l'impressionnait visiblement.

La lettre était ainsi conçue:

«Mon cher fils et beau neveu, je m'émerveille fort de n'avoir point eu nouvelles de vous ni réponse aux lettres que je vous ai fait remettre, avec le mandement royal qui convoquait tous les seigneurs de mon royaume pour combattre le roi d'Angleterre et ses gens. A cette heure, l'armée de France est quasi assemblée, et ceux de mes hauts barons qui manquent sous l'oriflamme et bannière des lis, sont en route pour venir bien accompagnés d'archers et d'hommes d'armes. Tous m'ont déclaré qu'ils viendraient et n'auraient garde d'être absents le jour de la bataille qui est prochaine; car le roi anglais s'efforce de regagner son camp de Boulogne avec sa petite armée qui diminue continuellement par les maladies, les escarmouches et la désertion. Nous avons, au contraire, plus de cent mille hommes sur les champs, et ce sera notre faute s'il échappe un seul Anglais, ce qui doit être grand profit pour notre couronne. Donc, mon beau neveu, je vous avertis de nouveau d'aller, avec vos gentilshommes et votre milice, devers la rivière de la Somme, où trouverez réunie la fine fleur de la chevalerie française, hormis notre cousin de Bourgogne que j'estime allié et partisan du roi Henri d'Angleterre. Sur ce, je prie Dieu notre Seigneur qu'il vous ait en sa sainte et digne garde.

»De Rouen, le 30e du mois de septembre 1415,

»CHARLES.»

— Le 30e jour de septembre! s'écria le duc d'Orléans, en cherchant à renouer ses souvenirs. Or çà, quel jour est-ce maintenant? — Le 21e d'octobre, monseigneur, et le 22e ne tardera guère à commencer, car il est dix heures du soir... — Par saint Denis! interrompit le duc irrité, comment une lettre, écrite de Rouen le 30e jour de septembre, arrive-t-elle à Coucy seulement le 21e d'octobre? — C'est miracle, monseigneur, qu'elle y soit arrivée, car je ne sais combien d'autres sont restées en route, que vous ne lirez jamais. — Les messagers ont-ils été arrêtés par les Anglais? dit amèrement Charles d'Orléans, qui comprit que ces lettres avaient été interceptées par ordre de sa femme. Sur ma foi! on m'a rendu là le plus méchant service, et je tiens pour ennemi de mon honneur quiconque m'a empêché de partir... — Eh! monseigneur, n'ayez rancune que contre vos médecins qui vous emprisonnent en cette chambre pour mieux rétablir votre santé... — Vite! appelez Philippe de Boulainvilliers! appelez Fredet! Il faut que je parte tout à l'heure! il faut que je mande le ban et l'arrière-ban de mes vassaux! il faut que j'aille joindre avec ma bannière l'armée du roi!... Pourvu qu'on n'ait pas encore livré bataille! — Monseigneur, ne menez pas tant de bruit, je vous conjure; n'avertissez pas madame d'Orléans, qui vous empêcherait encore de partir... — Certes, nulle force humaine ne m'empêcherait de faire mon devoir!... Je n'ai que trop tardé, vraiment! Fais donc venir céans Fredet et Boulainvilliers. — Je m'en vais vous obéir, monseigneur; mais auparavant, en récompense de mon message, accordez-moi deux grâces... —

Lesquelles? je t'en accorderai cent, si j'arrive à l'armée du roi avant que la bataille se soit donnée. — La première grâce, monseigneur, c'est de consentir à ce que je demeure attachée à votre personne, en qualité d'écuyer, jusqu'à la fin de la guerre. — Cette grâce est trop méritée pour que je te la dénie, mon cher fils. Qui que tu sois, noble ou roturier, je te fais mon écuyer d'armes. — La seconde grâce, monseigneur, c'est de sortir du châtel le plus secrètement que faire se pourra, avec si petite suite qu'on ignore votre départ, jusqu'à demain... — Oui-da! est-ce ainsi qu'un duc d'Orléans s'en ira à la guerre? ne faut-il pas que je conduise au camp du roi ma compagnie d'armes et mes archers? Mon cher fils, c'est aux clartés des flambeaux, c'est aux sons des trompettes et clairons que je sortirai de Coucy... — N'en faites rien, monseigneur; n'éveillez pas madame d'Orléans, ne vous exposez pas à son désespoir! Vous la verriez, monseigneur, se jeter sous les pieds de votre cheval et embrasser en gémissant les arçons de votre selle. Puis, ce qui est chétive considération, je l'avoue, ne me perdez pas, ne me livrez pas à la colère, au ressentiment de ma très-excellente et révérée dame... — Encore une fois, qui donc es-tu, pour craindre si fort le courroux de madame d'Orléans après m'avoir honorablement servi? — Hélas! monseigneur, je suis Hermine de Lahern, damoiselle d'honneur de ma très-digne dame d'Orléans, à qui j'ai promis solennellement de ne vous point quitter jusqu'à ce que je vous aie rendu à sa garde. Or, je ne fausserai pas ma promesse puisque je vous accompagne à l'armée comme votre écuyer et serviteur. — Ma chère damoiselle, reprit le prince touché et embarrassé à la fois de ce dévouement, j'aimerais mieux vous relever de votre promesse par-devant madame; car j'ai scrupule de mener en guerre une personne de votre sexe et de votre âge... — J'ai votre parole, monseigneur, et ne vous la rends point. Je me réjouis de vous suivre à l'armée, et de montrer qu'une femme qui a du cœur ne craint pas de répandre son sang pour la défense d'une si bonne cause que celle du roi de France. — Ma très-chère fille, dit le duc avec émotion, je récompenserai cette belle vertu et vous marierai au retour de la guerre... — Nenni, monseigneur, reprit tristement la damoiselle de Lahern; j'aurais honte de prendre la quenouille après avoir porté la lance et l'épée.

Hermine de Lahern se retira pour laisser le duc d'Orléans se lever et s'armer.

Fredet et Philippe de Boulainvilliers étaient d'accord avec elle et attendaient à la porte; ils entrèrent dans la chambre avec les habillements de guerre du prince, qui s'en revêtit sans prononcer une parole.

La collation que la damoiselle de Lahern lui avait fait servir, le sommeil réparateur auquel il s'était livré ensuite, et plus que tout, le sentiment du devoir, le regret d'avoir paru désobéir à l'appel du roi, et l'espoir d'arriver encore à l'armée en temps utile, tout contribuait à lui rendre ses forces physiques et à raviver son énergie morale.

Il n'eut donc pas besoin d'aide pour sortir du lit et pour se couvrir de ses armes, d'autant plus que le sire de Boulainvilliers avait eu soin de lui apporter, au lieu d'une lourde cuirasse d'airain, un *gambeson* ou pourpoint de cuir à endosser sous sa casaque ou cotte d'armes; au lieu d'un *heaume* ou casque pesant surmonté d'un cimier gigantesque en métal, un simple *morion* de fer battu; en un mot, en choisissant ce qui pouvait déguiser le qualité du prince, on avait eu égard à son état de faiblesse et de convalescence.

Charles d'Orléans se reprochait intérieurement d'abandonner ainsi la duchesse, sans l'avoir prévenue, sans lui dire adieu.

—Maître Fredet, dit-il à son secrétaire, mettez la plume à la main et vitement écrivez ce que je vous dicterai.

Fredet portait à sa ceinture tout ce qu'il fallait pour écrire: papier, encre et plume; il écrivit ces vers que le prince improvisa sur-le-champ:

Mieux vaut mourir que vivre sans honneur!
Or, vivre ainsi ne ferait pas mon compte.
Consolez-vous, en cas qu'une mort prompte
Sur le carreau laisse votre seigneur:
Car, échappant aux périls que j'affronte,
Si, sain de corps et non de déshonneur,
J'eusse évité la mort au champ d'honneur,
Je serais mort de même, mais de honte.

Le duc prit la plume de son secrétaire et apposa son seing au bas de ces vers qu'il attacha aux courtines de son lit.

Hermine entr'ouvrit la porte et annonça, d'une voix émue, que la duchesse allait s'éveiller.

Le prince s'appuya sur le bras de Boulainvilliers et sortit, à pas comptés, de sa chambre. En passant près de celle de Bonne d'Armagnac, il s'arrêta un moment, comme indécis; il écoutait, et il entendit la princesse répéter, en dormant, ce vers qui la troublait dans ses rêves:

Morte de deuil en pleurant tant de morts.

—Oh! la bonne femme que j'ai! pensa-t-il avec cette satisfaction intime d'un auteur qui se voit applaudi et apprécié: elle sait par cœur mes poésies et elle les répète en son sommeil! Je ne changerais pas mon vert laurier de poëte contre la couronne du roi de France.

Ce départ ressemblait à une fuite.

La damoiselle de Lahern, qui l'avait préparée, précédait son maître, la lampe à la main. Ils descendirent avec précaution les escaliers sonores; ils traversèrent sans bruit plusieurs galeries désertes, et ils arrivèrent sous une voûte basse qui aboutissait à un souterrain par lequel on sortait du château dans la campagne.

Toutes les issues étaient ouvertes, et personne ne se présenta sur le passage du prince, qui n'eût pas d'ailleurs été reconnu par ses propres officiers.

Il ne restait plus qu'une porte à ouvrir: c'était la dernière. Dans les ténèbres du souterrain, où la lampe ne jetait qu'une douteuse clarté, apparut alors une espèce de forme humaine qui aurait pu appartenir à un être des mondes invisibles.

Charles d'Orléans, malgré sa préoccupation inquiète, ne se retint pas de rire en voyant son fou Bejaune, complice aussi de son évasion, pousser les verrous et tourner les clés dans les serrures et les cadenas qui fermaient cette porte de fer.

—Je ne pensais pas, dit-il, que je dusse jamais m'enfuir de mon châtel ainsi que d'une prison!

—Monseigneur, répondit la damoiselle de Lahern; voici plus de trois mois que vous êtes prisonnier de madame d'Orléans, sans le savoir.—Dieu fasse que je n'aie jamais de prison plus rigoureuse! murmura-t-il avec mélancolie. Que t'en semble, monsieur le fou?—Hélas! hélas! s'écria le bouffon avec un accent consterné, qui exprimait comme un pressentiment.

Le duc ne put se défendre d'une triste émotion en se rappelant que les fous avaient le privilége, suivant la croyance généralement répandue, de connaître l'avenir.

Il leva les yeux vers les fenêtres du château qu'il laissait derrière lui, et il vit s'éclairer tout à coup les verrières d'une chambre qui devait être la sienne; mais la lumière s'éteignit presque aussitôt, et il crut entendre un long cri étouffé qui ne retentissait que dans son cœur.

Il hésita encore une fois, et il se reprocha de partir de la sorte, à la hâte et en cachette, à l'instar d'un voleur de nuit, et non comme un prince et seigneur qui va combattre.

Il saisit le bras de Fredet pour lui donner un ordre:

— Monseigneur, dit Fredet, nous sommes tous vos serviteurs soumis et fidèles; mais aucun de nous n'eût osé vous enlever de vive force à madame d'Orléans.

— Votre gloire, mon redouté seigneur, m'est plus chère que la vie, reprit Hermine avec fierté; il ne sera pas écrit dans l'histoire que toute la noblesse et chevalerie de France s'est ruée contre les Anglais et que le duc d'Orléans n'est point venu faire son devoir à la bataille.

Des chevaux étaient là, tout sellés, avec une escorte de quelques gens d'armes commandés par le capitaine Annebon, qui mit un genou en terre, sans bien se rendre compte si cet hommage s'adressait au duc d'Orléans ou à la damoiselle de Lahern.

Le duc d'Orléans n'avait donc plus à balancer: il se mit en selle et donna le signal du départ.

IX

La route fut longue et pénible, surtout pour le prince qui était encore affaibli comme s'il relevait d'une maladie véritable: il eut pourtant le courage de faire en trois jours plus de vingt-cinq lieues, pour atteindre l'armée des Français, qui était campée dans les plaines d'Azincourt, vis-à-vis l'armée anglaise qu'elle enveloppait de tous côtés.

Le prince, harassé de la route qu'il avait faite à franc étrier, n'eut pas le temps de se reposer avant la bataille.

C'était le vendredi, 25 octobre: il faisait à peine jour, quand les Français, impatients d'écraser un ennemi qui paraissait incapable de leur résister, se précipitèrent en tumulte, sans tenir compte de l'ordonnance du combat que les chefs avaient arrêtée entre eux.

Les princes et les seigneurs donnèrent eux-mêmes l'exemple de ce désordre en voulant combattre les premiers; mais les Anglais formaient une masse compacte et immobile, protégée par leurs archers qui lancèrent une grêle de traits. La cavalerie française, étonnée de ce rude accueil, recula et mit en désarroi l'infanterie qui la suivait et qui manquait d'espace pour se développer.

Ce fut une mêlée effroyable, qui s'augmentait sans cesse du mouvement continuel des troupes dans la même direction.

Les archers anglais tiraient toujours au milieu de cette mêlée, où chaque coup portait, où les chevaux en tombant écrasaient les hommes, où ceux qui auraient dû s'entr'aider luttaient les uns contre les autres, où d'horribles clameurs d'effroi et de désespoir empêchaient la voix des chefs de se faire entendre, où la retraite était devenue aussi impossible que le combat.

L'armée française fut perdue avant de s'être rangée en bataille.

Vainement les seigneurs essayèrent-ils de rétablir un peu d'ordre parmi ces insensés, qui jetaient leurs armes ou qui s'en servaient au hasard; vainement firent-ils des efforts inouïs pour enfoncer le corps d'armée des Anglais.

Ceux-ci refermèrent leurs rangs derrière une poignée d'assaillants qui les avaient rompus, et il n'y eut pas de prisonniers.

Le duc d'Orléans resta enseveli sous un monceau de cadavres.

Alors commença le carnage: les Anglais égorgèrent avec leurs épées ou leurs poignards, assommèrent avec leurs maillets de fer une foule de malheureux qui ne se défendaient plus ou qui s'offraient à rançon.

Le roi d'Angleterre avait fait crier, au son de la trompette, que chacun, sous peine de la mort, tuât ses prisonniers. Cet ordre barbare s'exécuta de toutes parts, jusqu'à ce que la lassitude suspendît le massacre.

Plus de dix-huit mille hommes avaient péri du côté des Français, presque tous appartenant à la noblesse; parmi eux, on comptait les plus grands seigneurs de France, plusieurs princes du sang, plusieurs grands officiers de la couronne, le connétable, l'amiral, et les meilleurs gentilshommes.

Toutefois, malgré l'ordre du roi d'Angleterre, qui avait eu peur de sa victoire contre un ennemi si supérieur en nombre, il y eut encore bien des prisonniers de distinction auxquels on accorda la vie sauve. Les Anglais n'eurent pas seize cents morts pour leur part.

Le soir de cette déplorable journée, deux femmes, vêtues de l'habit des religieuses augustines, parcouraient, en sanglotant et en se lamentant, le champ de bataille couvert de sang et de débris, de mourants et de morts.

Le costume religieux de ces femmes les faisait respecter des maraudeurs qui dépouillaient les cadavres et qui les eussent dépouillées elles-mêmes, si elles avaient été vêtues selon leur condition.

C'était la duchesse d'Orléans, accompagnée d'Isabeau de Grailly.

Celle-ci poussa un cri de joie et de douleur en se jetant sur un blessé qui l'avait reconnue et qui l'appelait par son nom.

C'était Philippe de Boulainvilliers.

—Et monseigneur? lui demanda Bonne d'Armagnac, avec un trouble inexprimable qui se peignait dans ses yeux fixes, remplis de larmes. — Il est mort! répondit le sire de Boulainvilliers: il était là, près de moi qui veillais encore sur lui, après qu'il eut rendu son âme à Dieu!... — Où est-il? s'écria d'une voix sourde la duchesse dont la raison s'égarait: ne pourrai-je l'embrasser, tout mort qu'il est! Mort! mort! Et moi, moi!... *Morte de deuil en pleurant tant de morts.*

La duchesse d'Orléans ne recouvra pas la raison: elle mourut peu de jours après, en répétant sans cesse ce fatal horoscope, sans avoir appris que son mari vivait.

On avait trouvé le duc, criblé de blessures, mais respirant encore, sous un amas de cadavres.

Son écuyer, qui n'était autre qu'Hermine de Lahern, lui avait fait un rempart de son corps, et avait reçu la moitié des coups qui lui étaient destinés.

Tous les deux restèrent prisonniers des Anglais et furent menés en Angleterre, où la captivité de Charles d'Orléans se prolongea pendant vingt-cinq années.

La damoiselle de Lahern réalisa ainsi la prophétie qui la concernait: *Prison auras avec ton gentil maître.*

Isabeau de Grailly ne pouvait manquer de voir également se confirmer son horoscope; elle avait soigné les blessures de son fiancé, Philippe de Boulainvilliers, et elle put se dire en l'épousant: *Mariage est la fin de tes ennuis.*

Quant à Fredet, qui eût volontiers imité cet exemple en se mariant avec la damoiselle de Lahern, il attendit qu'elle fût de retour en France pour s'apercevoir qu'il avait attendu trop tard pour se marier.

FIN

UN TAVOLAZZO EN PIÉMONT. UNE CHASSE AU COQ DE BRUYÈRE DANS LES ALPES.

En 1823, j'avais rencontré aux eaux d'Aix en Savoie un jeune gentilhomme piémontais, nommé le comte Stephano de Nora. Il était alors attaché en qualité de premier écuyer à la personne du prince Charles-Albert de Savoie-Carignan, à cette époque en disgrâce, et il cumulait ces fonctions purement honorifiques avec celles de capitaine de cavalerie dans un régiment qui tenait, autant que je puis m'en souvenir, garnison à Verceil ou à Novare. Stephano appartenait à une des plus grandes familles historiques de Piémont, et pendant la réunion de l'Italie à la France, son père avait exercé une des plus hautes charges de la cour de Napoléon. Cette vieille et noble maison de Nora comptait dans son ascendance des généraux illustres, des ambassadeurs habiles, des écrivains célèbres, des religieux canonisés, et même quelques archevêques qui ne l'avaient pas été, faute de preuves suffisantes sans doute. Stephano avait vingt-quatre ans, une figure franche et chevaleresque, une tournure martiale, des manières engageantes et un esprit prompt et original. Ses débuts dans la carrière militaire avaient été des plus brillants. A vingt ans, n'étant encore que simple lieutenant, il s'était conduit, lors de l'insurrection de Gênes en 1821, de la manière la plus héroïque. Au milieu de la défection générale des troupes, en face d'une révolte formidable et triomphante, il avait su maintenir son escadron dans le devoir, et à la tête de cette poignée d'hommes il s'était battu comme un lion pendant deux jours, avait reçu dix-huit blessures au visage et dans la poitrine, et forcé d'évacuer Gênes, il s'était mis en route avec sa petite phalange pour rejoindre le roi qui s'était réfugié à Florence. Sa retraite à travers des populations insurgées avait été un combat de quinze jours sans une heure de trêve; mais enfin le noble et courageux officier avait eu le bonheur d'arriver à sa destination, et la gloire de remettre entre les mains de son souverain, stupéfait de tant d'audace, son étendard rougi de son sang et déchiré par les balles de l'insurrection. «Que puis-je faire pour toi, vaillant enfant? lui avait dit le roi Charles-Félix. Je t'autorise à me demander tout ce que tu voudras. Eh bien! sire, je demande à Votre Majesté la permission d'aller rejoindre mon prince. Il est malheureux, exilé; qu'il ait au moins un ami pour le consoler dans son exil. Tu es un brave jeune homme, avait répondu le roi en embrassant Stephano: fais ce que tu voudras, moi je me chargerai de ce qui te regarde.»

Ces détails étaient connus de tout le monde à Aix, et d'ailleurs Stephano les racontait lui-même dès qu'on lui témoignait le désir de les entendre, sans qu'il y eût la moindre jactance dans son fait. Il va sans dire que les belles baigneuses s'étaient plus d'une fois émues au récit des combats homériques du jeune comte, qui ne savait plus comment s'y prendre pour faire face à toutes les sympathies plus ou moins sentimentales dont il était l'objet. Eût-il eu les cent yeux d'Argus à son service, je doute encore qu'ils eussent pu suffire pour répondre aux nombreuses œillades qui lui arrivaient de tous les côtés. *J'ai eu moins de besogne à Gênes*, me disait-il quelquefois en riant, car il était essentiellement ce que le naïf et goguenard Brantôme appelle un bon compagnon. Nous passâmes trois semaines ensemble, dans une intimité beaucoup plus sérieuse que cela n'arrive d'ordinaire aux eaux, et nous ne nous quittâmes pas sans quelque regret. Toutefois je ne garantirais pas que deux mois après nous être séparés nous fussions encore occupés l'un de l'autre, et je ne me souviens pas d'avoir demandé une seule fois de ses nouvelles jusqu'à la circonstance que je vais rapporter.

Au mois de mai 1832, par conséquent sept ans après cette première rencontre, je me promenais dans les rues de Turin, où j'étais venu pour quelques affaires dont il est inutile de parler ici, lorsque je vis s'avancer quatre ou cinq personnages en uniformes brodés sur toutes les coutures. Comme la parade venait de défiler devant le château, je compris que c'était une partie de l'état-major qui se retirait, et je ne fus pas fâché d'avoir une si bonne occasion de juger la tenue des grands dignitaires de l'armée de Sa Majesté le roi de Sardaigne, de Chypre et de Jérusalem, excusez du peu. La brillante phalange approchait toujours; déjà je pouvais distinguer l'émail des nombreuses décorations qui scintillaient sur toutes les poitrines, quand un de ces beaux officiers, le plus beau même, je dois le dire, se détachant du groupe principal, se dirigea tout droit sur moi.

—Que fais-tu ici? me demanda-t-il d'un ton aussi naturel que si nous nous étions quittés la veille et qu'il dût s'attendre à me rencontrer.

Je toisai de la tête aux pieds l'individu qui m'interpellait avec tant de familiarité, puis je lui sautai au cou en poussant un cri de joie: j'avais reconnu mon ami Stephano.

—Comment, reprit-il, tu es à Turin et tu n'es pas venu loger chez moi! Mais c'est absurde! Voyons, où es-tu descendu? Je veux le savoir tout de suite. — A l'hôtel Feder. — Je vais t'y accompagner; je t'aiderai à refaire tes paquets, et un garçon de l'hôtel portera tes bagages au palais Nora; tout cela peut être arrangé dans un quart d'heure. — Mais je suis peut-être ici pour un mois. — Raison de plus; que ferais-tu tout ce temps-là à l'auberge? Tu y périrais d'ennui. Turin n'est pas gai quand on n'y connaît personne.

Il n'y avait pas trop moyen de résister à une invitation si imprévue, si pressante, si amicale. Je n'avais d'ailleurs aucune raison sérieuse pour refuser, et j'ai eu toute ma vie un goût prononcé pour tous ces petits hasards de la destinée qu'on trouve sur sa route au moment où l'on y pense le moins. Je pris donc le bras de Stephano, en me gardant bien de lui dire que je n'avais pas une seule fois pensé à lui depuis quarante-huit heures que j'étais à Turin, et nous nous dirigeâmes vers l'hôtel Feder, dont nous étions fort heureusement très-près.

Chemin faisant, Stephano me conta que son père était mort, ce qui l'avait fait marquis de Nora en lui donnant quatre-vingt mille livres de rente; qu'il était lieutenant-colonel, premier écuyer du roi Charles-Albert, successeur du roi Charles-Félix, et qu'il devait partir prochainement pour Naples, chargé d'une mission diplomatique importante.

Tout cela ne l'empêcha pas, quand nous fûmes arrivés à mon auberge, de m'aider à refaire ma malle avec la plus aimable bonhomie: s'il n'y avait eu personne chez Feder pour la porter jusqu'au palais Nora, il aurait été capable de la charger sur son épaule et de traverser ainsi la moitié de la ville, tant il craignait de me laisser échapper.

— A propos, me dit-il en entassant des bottes dans un sac de nuit, je suis marié; mais que cela ne te fasse pas peur, ma femme sera aussi charmée que moi de te recevoir: j'ai déjà deux enfants, l'aîné est le filleul du roi.

Une demi-heure après, j'avais été présenté à la marquise qui m'avait fait l'accueil le plus gracieux, et j'étais installé dans une des meilleures chambres du palais Nora, l'un des plus beaux de Turin.

Je passai vingt-cinq jours dans cet intérieur tout à fait aimable et bon, et quand le moment du départ arriva, j'avais le cœur véritablement triste, bien qu'il eût été convenu entre mes amis et moi que je reviendrais au mois de septembre prochain, et cette fois accompagné de ma femme et de mes enfants, afin de n'avoir aucune raison d'abréger un séjour dont je me faisais une véritable fête.

Il y a, règle générale, peu d'obstacles aux engagements qui plaisent; le 31 août, mon briska roulait rapidement sur les pentes sinueuses et pittoresques du Mont-Cenis, du côté de Suze; quelques heures après nous descendions au palais Nora, où Stephano nous attendait; pour rien au monde je n'aurais voulu faire une seconde fois la faute de m'en aller loger à l'auberge.

Le lendemain nous montrâmes à ma femme les curiosités de la ville, et nous finîmes notre soirée au théâtre d'Angenne, où l'on jouait pour la trentième fois depuis six semaines, *Zadig et Astarte, del signor Vaccaï*.

La marquise n'était pas à Turin; elle nous attendait dans son magnifique château de Nora où nous devions la rejoindre le jour suivant, et où il était dit que nous passerions le reste de l'automne qui n'était cependant pas encore commencé.

Le 2 septembre, à trois heures de l'après-midi, nous sortions de la capitale du Piémont par la porte de Carignan, et nous prenions la route qui conduit à cette ville. A notre gauche, et à une portée de fusil à peine, se déroulait la belle et poétique colline de Turin, avec ses charmantes *villa* au milieu des fleurs, ses couvents à demi cachés dans la verdure, ses madones sculptées dans le tronc des vieux chênes, et ses *pergola* toutes chargées de grappes transparentes et parfumées. A notre droite, mais à une distance de sept ou huit lieues, s'élevaient les majestueuses cimes des Alpes, que semblaient défendre, comme deux géants debout et menaçants, le mont Rosa et le mont Viso, l'un et l'autre couronnés d'une auréole de neige éblouissante. Entre ce fond de tableau vraiment grandiose et la route que nous suivions, s'étendait la fertile plaine du Piémont où l'on coupait les foins pour la quatrième fois. Le temps était magnifique, la température délicieuse, les bourgs et les villages que nous traversions avaient un aspect de richesse et de bien-être qui nous réjouissait. Stephano nous montrait tout, nous expliquait tout, ce qui ne l'empêchait pas d'échanger de temps en temps des phrases amicales en patois piémontais avec les passants qui le saluaient par son titre. Il était facile de voir que tout le monde l'aimait et que cette popularité avait la plus noble origine. J'ajouterai que Stephano en jouissait sans ivresse et qu'il avait la modestie et le bon goût de la considérer bien plus comme un héritage de famille que comme une conquête personnelle.

Il y avait environ trois heures que nous courions: nous avions déjà changé deux fois de chevaux, la première à Carmagnole et la seconde à Carignan, quand Stephano, qui avait voulu se mettre sur le briska, nous dit:

— Ah! voilà ma femme! j'étais sûr qu'elle viendrait au-devant de nous: maintenant nous serons rendus au château avant dix minutes.

Nous nous hâtâmes de mettre pied à terre. Je baisai la main de la marquise, qui embrassa ma femme, afin de couper court à la cérémonie toujours ennuyeuse des présentations.

Nous étions en ce moment à l'entrée d'une petite ville bâtie en amphithéâtre sur le versant occidental d'un mamelon qui s'élevait à notre gauche. Je cherchai au-dessus de ses toits pressés et parmi les clochers et les dômes de ses églises et de ses couvents, où pouvait être situé le château; mais je n'aperçus que la plate-forme d'une large tour crénelée sur laquelle venaient mourir les derniers rayons d'un splendide soleil couchant.

Notre voiture continua sa route, et nous, nous prîmes un sentier rapide qui nous fut indiqué par le chien de la marquise qui courait devant nous.

Nous avancions lentement parce que nous nous arrêtions à chaque instant pour attendre Stephano qui, tantôt sous un prétexte et tantôt sous un autre, restait en arrière: une fois, c'était pour questionner une pauvre femme dont le mari avait fait une chute; le moment d'après, c'était pour aider un vieillard à remettre un fardeau sur sa tête; puis il soulevait des petits enfants dans ses bras; il accostait des ouvriers qui revenaient après leur journée finie: on eût dit qu'il était absent depuis six mois et qu'il voulait s'enquérir de tout ce qui s'était passé dans le pays pendant son absence.

Tout à coup je m'arrêtai en poussant un cri d'admiration et de surprise: le château de Nora venait de m'apparaître brusquement à un détour du sentier.

C'était un vieil et majestueux édifice, construit en briques jadis rouges que le temps avait brunies. Il occupait le sommet du mamelon dont j'ai parlé, et dominait la ville qu'il semblait protéger; deux tours immenses le flanquaient à droite et à gauche et lui donnaient un aspect imposant. Celle de gauche, toute couverte d'un épais réseau de lierre, était sombre; celle de droite, enlacée par les pampres d'une vigne vierge, dont le soleil d'automne avait doré le feuillage, était éblouissante; une troisième tour carrée et percée d'une voûte servait d'entrée au manoir féodal, et montrait au-dessus d'un immense portail l'écusson gigantesque des Nora, surmonté de leur devise; belle devise s'il en fut, car elle se composait de ces deux mots tout parfumés d'honneur et de chevalerie: *Franc et léal*.

L'intérieur du château n'était pas fait pour détruire l'impression que causait sa première vue. Le salon, vaste galerie éclairée par six fenêtres donnant sur la chaîne des Alpes, était décoré de vieilles armures disposées en faisceaux avec un goût sévère et intelligent; la salle à manger n'avait pour ornements que d'antiques portraits de famille, représentant des guerriers aux visages fiers et mâles, et de nobles dames aux costumes sévères. Un lustre de fer, portant sur ses bras contournés des bougies en cire jaune, descendait du milieu du plafond d'un vestibule dont les murs étaient garnis de bancs en bois de chêne, noircis par le temps et lustrés par l'usage. Dans les chambres à coucher tous les lits étaient à colonnes et à baldaquin, et il n'y avait pas d'autres meubles que des bahuts respectables et des fauteuils qu'il fallait prendre à deux mains pour les changer de place. Eh bien! rien de tout cela n'était triste ni prétentieux; l'harmonie était parfaite entre le cadre et le tableau, et le maître de cette demeure imposante avait l'air assez grand seigneur pour se faire pardonner les splendeurs aristocratiques qui l'environnaient.

Pendant les trois mois que je passai à Nora, je pus prendre une idée de ces grandes existences d'autrefois dont j'avais beaucoup entendu parler à mon père sans y croire complétement. Il n'y avait de luxe nulle part, mais de l'abondance partout. Le domestique nombreux se composait de jeunes serviteurs actifs et vigilants et d'anciens gagistes, passés à l'état de commensaux et devenus en quelque sorte les amis du châtelain. La table, solidement servie, n'offrait jamais un seul de ces mets recherchés qui ne satisfont que les caprices de l'estomac. Maintenant, mes chers lecteurs, laissez-moi vous dire la première chose qui se faisait à cette table, quand le dîner était apporté: chaque plat était mis à son tour devant le marquis qui en retirait lui-même la part des pauvres et des malades. Voyons, messieurs les puissants du jour, la main sur la conscience (ô flatteur que je suis), en faites-vous autant? Et vous, impudents prôneurs de liberté et d'égalité, pipeurs habiles de popularité éphémère, levez-vous la dîme sur vos splendides festins pour apaiser la faim qui pleure silencieusement à la porte de vos hôtels? «A quoi bon? direz-vous; il y a tant de malheureux!» C'est vrai pour Paris; mais dans vos terres, dans vos châteaux, excellents démocrates, quelles marques de sympathie donnez-vous à vos semblables dans la souffrance? Imitez-vous le marquis de Nora qui, chaque matin, pansait lui-même, *dans son salon*, les malades qu'on pouvait lui amener, et qui allait visiter ensuite chez eux ceux qui n'étaient pas transportables? Et avec quelles bonnes paroles, avec quels égards touchants tout cela s'accomplissait! Aussi que de bénédictions j'ai entendues dans ce vieux manoir, qu'on eût pris pour la propriété de tous, tant chacun y avait l'air comme chez soi! Et ne croyez pas que le marquis de Nora fût une exception dans son pays! tous les seigneurs ses voisins étaient animés du même esprit de charité et de fraternité. Aussi le Piémont est-il resté calme au milieu des troubles qui ont agité l'Italie après la révolution de juillet. Il est resté calme, parce que les novateurs y étaient sans crédit; parce que la noblesse qu'on aurait voulu humilier était plus aimée et plus bienfaisante que la bourgeoisie sa rivale. Nouvelle preuve de ce que nous avons souvent pensé, que c'est moins la dureté des aristocrates de vieille souche que l'insolence des parvenus qui rend nécessaires les révolutions.

Le soir même de notre arrivée, Stephano interrompit une histoire de chasse fort amusante qu'il me racontait, pour me dire du ton d'une personne qui a oublié de faire une communication importante à quelqu'un qu'elle peut intéresser.

— A propos, c'est demain l'ouverture du *tavolazzo*. — J'en suis charmé si cela te fait plaisir, mais qu'est-ce que le *tavolazzo*? répondis-je. — C'est le tir à la carabine de nos pays: tous les ans il a lieu le jour de Saint-Grégoire. — Et comment les choses se passent-elles? demandai-je. — La distance est de cent quatre-vingts pas, et le but est grand comme le fond de ton chapeau. Chaque tireur a sa cible qui porte son nom, et il doit tirer, nombre fixe, six fois. Le vainqueur est celui qui met le plus de balles autour d'un petit rond en papier doré, grand comme un pain à cacheter, lequel est placé au centre du *barelet*: c'est le nom que nous donnons à nos cibles, parce qu'elles ont la forme d'un petit baril. Ce petit baril est peint en blanc, ce qui ne le rend pas plus facile à viser pour cela. — Je suis enchanté de connaître tous ces détails, parce qu'alors je prendrai rang parmi les spectateurs, repartis-je; je ne crains pas de rival pour rouler un lièvre ou pour faire coup double sur des perdrix rouges après la Toussaint; mais votre tir à la carabine ne me sourit pas le moins du monde: je m'abstiendrai. — Quelle folie! interrompit vivement Stephano; ce serait avouer d'avance que tu doutes de ton adresse; au lieu qu'en t'exécutant de bonne grâce, le hasard peut te servir. — Et s'il me trahit? — S'il te trahit, tu ne seras pas le seul: j'attends demain matin le ministre d'Autriche et le chargé d'affaires de Prusse, deux maladroits s'il en fut; ils te tiendront compagnie: je les ai justement engagés à cause de toi. — Eh bien! nous verrons demain. — Enfin, tu peux compter sur une arme excellente et sur une main infaillible pour te la charger. Je te donnerai un brave homme qui ne mettra pas dans le canon un atome de poudre de plus une fois qu'une autre.

Le lendemain après le déjeuner, j'étais dans la galerie des vieilles armures où je faisais une partie de billard avec le chapelain du château, lorsque je crus entendre dans l'éloignement les sons d'une espèce de musique militaire.

Je mis au port d'armes ma queue qui visait un carambolage, et mon regard interrogea probablement le bon chapelain, car il me dit sans que j'eusse besoin de le questionner:

— C'est le *tavolazzo, signor marchese*, on vient chercher les habitants du château: vous verrez, la procession est très-belle.

En ce moment, Stephano entra pour m'avertir de me préparer; son chasseur le suivait portant deux carabines; une des femmes de la marquise venait ensuite; j'aperçus dans ses mains un petit carton rempli de rubans de toutes les couleurs.

— Prends cette arme et choisis bien vite un de ces rubans, me dit brusquement le marquis de Nora; il faut que nous soyons prêts quand le cortége arrivera. De Bombelles et Schulz sont déjà dans le vestibule.

Les explications qu'on demande aux gens pressés sont en général peu satisfaisantes; je pris donc, sans mot dire, un ruban vert céladon que la belle camériste noua autour de mon bras gauche; puis je mis mon chapeau un peu plus sur l'oreille que de coutume, la carabine sur mon épaule, et je suivis Stephano qui paraissait fort impatient.

Avant de sortir de la galerie, je me retournai pour savoir ce que devenait le chapelain, et je le vis qui se faisait aussi nouer un ruban autour du bras, un beau ruban couleur feu, ma foi! Quelques seconds après, il nous rejoignit dans le vestibule: il avait, comme nous tous, la carabine sur l'épaule et le chapeau légèrement incliné du côté gauche.

Nous sortîmes alors du château, ayant le marquis à notre tête: en ce moment la procession du *tavolazzo* débouchait du grand portail de la cour carrée, se dirigeant vers nous; nous nous arrêtâmes aussitôt pour l'attendre; j'ai su depuis que le cérémonial était réglé ainsi depuis des siècles.

C'était vraiment quelque chose de très-pittoresque et de particulièrement nouveau pour moi que ce cortége qui s'avançait à notre rencontre. Il était précédé par une trentaine de musiciens enrubanés de la tête aux pieds, qui jouaient en manière de marche une *monferine* vive et gracieuse; derrière eux, les trois syndics de la ville de Nora marchaient gravement entre deux hommes de haute taille, dont l'un, celui de droite, portait une bannière aux couleurs du marquis, et l'autre une bannière aux couleurs de la ville: immédiatement après ces cinq personnes, venaient sur deux rangs les tireurs de la compagnie du *tavolazzo*, au nombre de vingt environ, parmi lesquels je comptai sept ou huit prêtres.

La musique s'arrêta et se rangea de côté; le marquis fit quelques pas à la rencontre des syndics, dont le doyen prononça un petit discours en piémontais, que nous applaudîmes vigoureusement.

Stephano répliqua et fut à plusieurs reprises interrompu par les acclamations de l'assemblée. On était venu, comme chaque année, lui offrir la présidence du *tavolazzo*, et, comme chaque année, il avait répondu qu'il l'acceptait, bien qu'elle lui fût offerte par de plus dignes que lui de l'obtenir. Cet échange de bons procédés accomplis, nous nous mêlâmes au cortége en ayant soin de ne pas avoir l'air de nous grouper entre nous. Le comte de Bombelles se mit à côté d'un tisserand; le baron de Schulz eut pour compagnon un fabricant de *saucissons de Bologne*; le hasard me donna pour voisin un petit cabaretier.

La musique se replaça à notre tête, la *monferine* recommença de plus belle, et le cortége reprit le chemin du bourg qu'il dut traverser en entier pour arriver à l'endroit où le *tavolazzo* était établi.

Toute la ville avait un air de fête, quoique ce ne fût pas un dimanche: les femmes et les jeunes filles étaient parées de leurs plus beaux atours; les petits garçons avaient de gros bouquets à la boutonnière; des drapeaux et des banderoles flottaient à toutes les fenêtres; on battait des mains sur le passage du cortége.

Arrivés à notre destination, chacun de nous reçut un *barelet* sur lequel il inscrivit son nom, et prit au hasard, dans un sac, un numéro destiné à marquer son rang dans le tir; le président lui-même n'était pas exempt de cette formalité, qui n'avait, on en conviendra, rien de bien aristocratique.

Le hasard me donna le numéro 3, Stephano amena le numéro 9, le numéro 1 tomba à un sec et long chanoine qu'on appelait le *Theologo*: je n'ai jamais su pourquoi; mais je présume que ce nom répondait à quelques fonctions ecclésiastiques.

Je ne m'étais point exagéré la distance de cent quatre-vingts pas dont Stephano m'avait parlé la veille: elle me sembla prodigieuse, eu égard surtout à la petitesse du but qui, en outre, était disposé en trompe-l'œil, c'est-à-dire que le *satané barelet*, plus gros du ventre que des extrémités, offrait une ampleur qu'en réalité il n'avait pas. Quant au petit rond de papier doré, on ne le voyait pas plus qu'on ne voit les étoiles à dix heures du matin au mois de juillet.

Une fanfare annonça l'ouverture du tir; quand elle fut finie, un roulement de tambours se fit entendre: c'était le dernier signal.

Le *Theologo*, qui se tenait depuis quelques instants l'arme haute à la troisième position, baissa majestueusement sa carabine, inclina la tête sur la batterie, et ferma l'œil gauche.

Je crus que le coup allait partir et je regardai la cible.

Impatienté de ne rien entendre, je me retournai vers le *Theologo*; il avait relevé son arme et causait tranquillement avec son voisin.

—Eh bien! qu'est-il arrivé? demandai-je à Stephano.—Peu de chose: une mouche s'est posée sur le canon de sa carabine, et lui faisait un faux point de mire.—Comment, vous y mettez cette importance-là? repris-je; mais alors ce n'est pas un plaisir, c'est...

Je n'achevai pas, car en ce moment le *Theologo* s'était remis en joue: cette fois le coup partit.

Quand la fumée de la poudre fut dissipée, j'aperçus un homme debout à côte du *barelet* du *Theologo*.

Cet homme ôta son chapeau et salua en se tournant vers les tireurs.

Puis il leva une petite baguette, dont il appliqua l'extrémité contre le centre du *barelet*.

Je regardai avec attention, et au beau milieu du petit disque peint en blanc, je vis le trou noir qu'avait fait la balle; la moitié du rond de papier doré était emportée.

— C'est un hasard, dis-je à voix basse au marquis.

— *Patienzza*, me répondit-il en mettant un doigt sur sa bouche.

Le second coup du *Theologo* partit, et la balle mordit sur la moitié du trou qu'avait fait la première.

Il en fut à peu près de même des quatre autres: toutes les six ne tinrent guère plus de place que ne l'eussent fait six trous de vrille placés à dessein les uns à côté des autres.

Après le *Theologo* vint le tisserand, puis moi, puis le fabricant de saucissons de Bologne, puis le ministre d'Autriche, etc.; bref, le feu ne discontinua pas pendant cinq heures.

Le premier prix appartint sans contestation au *Theologo*; Stephano eut le second; un gros chanoine et moi nous tirâmes le troisième au sort, et j'eus la bonne chance de gagner.

On ne pouvait concourir à un de ces prix, qui se composaient de pièces d'argenterie d'une assez grande valeur, qu'autant qu'on avait mis ses six balles dans la cible; puis, parmi ceux qui se trouvaient dans ce cas, on choisissait les trois dont les coups tenaient le moins de place.

— Tu t'es moqué de moi, me dit Stephano avec bonhomie. — Je te promets que c'est un pur hasard, répondis-je, je n'ai jamais tiré à la cible de ma vie. — Si tu reviens l'année prochaine, tu nous battras tous, reprit-il: regarde ce pauvre *Theologo*, il n'est pas encore remis de la frayeur que les trois premiers coups lui ont causée: voilà cinquante ans qu'il s'étudie à être le meilleur tireur du pays, et c'est la dix-neuvième fois de suite qu'il reçoit le premier prix.

Le moment du retour était arrivé, et un roulement de tambours indiqua qu'il fallait reformer les rangs. La musique, les porte-bannières, les syndics reprirent la tête de la colonne; chaque tireur retrouva son compagnon, puis on se remit en marche pour le château.

Je crus que c'était simplement une conduite courtoise qu'on faisait au marquis, et que la fête était terminée; mais je me trompais, comme vous allez voir.

Pendant notre absence, une table de soixante couverts avait été dressée sous une magnifique treille qui occupait toute la longueur d'une terrasse située au couchant du vieux manoir.

Tous les membres du *tavolazzo* y prirent place avec leurs épouses, leurs filles et leurs nièces; parmi ces dernières, je remarquai deux ravissantes personnes, que le gros chanoine, mon rival pour le troisième prix, me dit être les enfants de sa sœur cadette: je déclare n'avoir aucun motif de douter de la vérité de cette assertion.

Toutes les places d'honneur de la table furent pour les habitants de la ville. La marquise de Nora mit le *Theologo* à sa droite et le doyen des syndics à sa gauche; Stephano en fit autant pour la femme du bailli et la fille du maître de poste: le comte de Bombelles, le baron de Schulz, ma femme et moi, aidâmes de notre mieux les nobles châtelains à faire les honneurs de leur festin, et j'ose dire que nous nous en acquittâmes à la satisfaction générale.

Tout le monde était à son aise dans cette réunion où presque toutes les classes de la société étaient représentées: d'une part, le respect n'avait rien de servile; de l'autre, le sans-façon n'avait rien de choquant. Au dessert, le marquis se leva, son verre à la main, et dit d'une voix vibrante et émue:

— A la santé de mes bons amis les habitants de Nora! Puissent les liens qui nous unissent depuis des siècles durer des siècles encore! Puissent nos enfants s'aimer comme nous nous aimons et comme nos pères s'aimaient!

Un tonnerre d'applaudissements accueillit ce toast affectueux; alors le syndic se leva à son tour et répondit:

— Au nom des habitants de la cité dont j'ai l'honneur d'être le plus ancien magistrat, je porte la santé de son premier citoyen, de son plus digne enfant! Au marquis Stephano de Nora! s'écria-t-il d'une voix retentissante. A sa noble compagne! à ses enfants! à la prospérité de sa maison!

Une nouvelle salve d'acclamations, plus bruyante, plus unanime que la première, témoigna de la sympathie que ces paroles trouvaient dans tous les cœurs. Les verres se choquèrent, les mains s'étreignirent, les yeux échangèrent des regards brillants de dévouement et d'affection: je n'ai vu de ma vie rien de plus touchant.

Le soir, le château fut illuminé, on tira un feu d'artifice sur la terrasse, et on dansa jusqu'à minuit dans la galerie des vieilles armures transformée en salle de bal.

La danse ne chassa pas les prêtres; ils étaient tous trop honnêtes pour se croire obligés de faire les hypocrites: ceci soit dit sans offenser ceux qui font autrement; mais chaque pays a ses usages, n'en blâmons aucun.

—Eh bien! que penses-tu du Piémont? me demanda Stephano le lendemain matin.—Ma foi! je pense que je voudrais bien l'habiter, répondis-je. Cette soirée d'hier m'a ravi! Maintenant, pourras-tu m'expliquer de semblables mœurs après quarante ans de révolutions à votre porte? Quant à moi, je n'ai pu résoudre la question.—Rien n'est plus facile cependant: nous ne nous isolons pas, voilà tout notre secret. Les vaniteux croient que la familiarité engendre le mépris, c'est une erreur: quand il est démontré qu'elle n'est pas un calcul, elle augmente le respect et elle entretient l'affection, j'en acquiers la preuve chaque jour.—Cependant votre noblesse a de grands priviléges, et il n'en faut pas davantage pour faire des mécontents.—Ce ne sont point les priviléges qui blessent ceux qui ne les ont pas, c'est la manière dont les exploitent ceux qui les ont. Servez-vous d'une grande fortune pour soulager vos semblables; tirez parti d'une belle position au profit de ceux qui n'en possèdent que de médiocres, et fortune et position vous seront pardonnées. Chacun sait que si j'étais pauvre il y aurait bien plus de pauvres dans le pays; personne n'ignore que si la ville possède un hospice, c'est à un Nora qu'elle le doit. Quand le roi me fait une grâce, je l'accepte; mais quand je lui demande une faveur, ce n'est jamais en mon nom que je parle. Comprends-tu maintenant?—Très-bien; seulement une semblable conduite demande...—Rien que du bon sens de part et d'autre, interrompit Stephano. Mais au diable cette conversation sérieuse! ajouta-t-il, j'étais venu te voir pour tout autre chose. Voyons, es-tu disposé à faire une chasse un peu rude demain?—Certainement.—Eh bien! fais toutes tes dispositions pour une absence de quatre ou cinq jours, nous partirons après le déjeuner, nous dînerons le soir à Pignerol, et nous irons coucher chez un braconnier de mes amis qui sera enchanté de faire ta connaissance. C'est une des curiosités de notre pays. Je te laisse à tes affaires et vais veiller aux préparatifs de notre petite campagne.

A onze heures, le lendemain, nous étions prêts et nous montions, Stephano, son chasseur et moi, dans une petite voiture de chasse dont le coffre regorgeait d'excellentes provisions: un panier attaché derrière renfermait nos chiens; nos fusils étaient entre nos jambes et nos carnassières sur nos épaules.

Le trajet se fit rapidement et gaiement. Les deux petits étalons sardes attelés à notre voiture couraient comme des biches effarouchées; le marquis me contait une foule de ces bonnes histoires de chasse dont on n'a jamais l'air de douter, afin de se réserver le droit d'y répondre par de plus merveilleuses encore; bref, le temps s'écoula si vite, que j'accusai de radotage les horloges de Pignerol qui sonnaient quatre heures comme nous mettions pied à terre dans la cour de l'auberge de la *Croce-Bianca*, la meilleure de la ville.

Cinquante minutes après, nous avions dîné et nous enfourchions des mulets qui devaient nous hisser par des chemins diaboliques jusqu'à la cabane du vieux braconnier.

Cette ascension fut tout ce qu'on peut se figurer de plus pittoresque. Le sentier que nous suivions, taillé en zig-zag sur le flanc d'une montagne à pic, nous découvrait à chaque instant des points de vue d'autant plus admirables, que le soleil, en se couchant, jetait des flots de lumière sur une des plus belles contrées du monde. A nos pieds, Pignerol disparaissait lentement dans l'ombre croissante du soir; plus loin Racconis, Savigliano, Fossano étincelaient de magiques clartés, et un rayon plus splendide que tous les autres illuminait le château de Nora que nous apercevions distinctement malgré une distance de huit lieues à vol d'oiseau. Les cours d'eau étaient marqués par une brume légère suspendue aux saules de leurs rives, et des nuages de poussière brillante indiquaient les sinuosités des routes qui se croisaient en tous sens dans la magnifique plaine que nous avions sous les yeux. Des bêlements de troupeaux, des sons lointains de cloches, des bruits confus de voix arrivaient jusqu'à nous dans une harmonie remplie de charme et de grandeur qui nous plongeait dans une douce et rayonnante mélancolie. Quand le soleil eut complétement disparu derrière les cimes des Alpes, le spectacle devint, s'il est possible, plus merveilleux encore. Les neiges du mont Viso se parèrent des plus riches teintes; des jets d'ombres fantastiques se répandirent sur la campagne, et la lune, entourée d'un brillant cortége d'étoiles, vint montrer sa face rougeâtre sur les hauteurs boisées des Apennins.

Ce tableau m'avait jeté dans une admiration si profonde que si mon mulet eût fait un faux pas, je ne me serais point avisé, je crois, de le retenir, et j'aurais fait une seconde entrée à Pignerol, dont les badauds de l'endroit eussent conservé longtemps le souvenir.

L'air qui était devenu plus vif, et nos montures qui marchaient plus facilement, me firent supposer que nous avions atteint le plateau de la montagne dont nous escaladions les flancs depuis deux heures environ: cette supposition me fut confirmée par Stephano qui poussa son mulet près du mien en me disant:

—Nous pouvons marcher maintenant côte à côte: la route a trois lieues de largeur; mais ce ne sera pas pour bien longtemps, car nous allons être obligés de descendre par un sentier tout semblable à l'autre. Si ta bête tombe, laisse-la se relever toute seule; autrement tu es perdu: les mulets n'aiment pas qu'on se mêle de leurs affaires. — Sommes-nous encore loin de la cabane de ton braconnier? — A trois quarts de lieue environ; mais il nous faudra au moins une heure et demie pour les faire. —Comme qui dirait le temps de fumer trois cigares. — A peu près.

La descente se fit heureusement. Au bout de cinq quarts d'heure de marche nous entendîmes les aboiements d'un chien; presque en même temps nous aperçûmes une lumière qui brillait au-dessous de nous à une profondeur prodigieuse.

—Encore dix minutes et nous serons arrivés, me dit Stephano; mais le bout de chemin qui nous reste à faire n'est pas des plus faciles. Adresse une petite prière à ton ange gardien, cela ne nuit jamais.

Je ne voulus pas convenir que la chose était déjà faite, et je la recommençai.

Tout à coup mon mulet s'arrêta court, celui de Stephano qui le précédait en avait fait autant: le chien aboyait toujours.

Une porte s'ouvrit et nous vîmes l'intérieur d'une cabane éclairée par un grand feu.

—Ce ne peut être que le marquis de Nora qui arrive à une pareille heure, dit une grosse voix joviale. Les coqs de bruyère n'ont qu'à se bien tenir demain.—Bonsoir, Titano, répondit le marquis en mettant pied à terre. Tu ne t'attendais guère à me voir, n'est-ce pas?—C'est ce qui vous trompe, Excellence. Votre lit est fait depuis hier, et j'ai couru la montagne toute la journée pour savoir où se tenait le gibier.—Je t'amène un ami, un Français, reprit le marquis.—Soyez les bienvenus tous les deux, Excellences.

Pendant ce colloque, j'étais aussi descendu de mon mulet, et j'avais suivi le marquis dans la cabane.

Le feu dont j'ai parlé l'illuminait du haut en bas et dans tous ses recoins, mieux que n'eût pu le faire la clarté du jour. Je pus donc prendre immédiatement connaissance des lieux et de la figure de notre hôte.

La cabane était spacieuse, propre et assez bien garnie d'un solide mobilier rustique. Il y avait un petit lit à droite de la cheminée et un autre beaucoup plus grand à gauche. Une table occupait le milieu de la chambre; un buffet couvert de poterie grossière s'emboîtait dans un des angles, faisant face à une maie placée dans l'angle opposé. Des quartiers de lard pendaient au plafond, et le manteau de la cheminée portait un râtelier d'armes, véritable arsenal, composé d'une canardière, d'un fusil double, d'une carabine, d'une paire de pistolets et d'un sabre de fantassin, à la poignée duquel étaient attachées une dragonne et deux épaulettes en laine rouge. Quelques gravures communes, collées le long des murs représentaient le roi Charles-Albert, l'empereur Napoléon et l'archiduc Charles: ces trois personnages étaient les héros de prédilection de Titano.

Quant à ce dernier, c'était bien le plus singulier individu que j'eusse jamais rencontré, et je ne pouvais me lasser de le regarder. Il avait près de six pieds, et contrairement à l'habitude des hommes de haute taille, il se tenait droit comme un jonc. Sa maigreur était phénoménale, ses jambes et ses bras d'une longueur démesurée, son nez immense, sa bouche, sans une dent, fendue d'une oreille à l'autre. Son œil droit, vif et largement ouvert, contrastait avec son voisin qu'il tenait habituellement fermé comme un homme qui couche en joue. Sa peau avait la teinte de la tige d'une vieille botte, et elle était ridée comme une pomme à la fin du carême. Eh bien! cet extérieur bizarre jusqu'au fantastique ne me parut pas ridicule. Ce grand corps fluet était agile et adroit dans tous ses mouvements; cette figure hétéroclite étincelait d'esprit et de bonté; l'œil ouvert avait de la bienveillance; sous la paupière de l'œil fermé, on voyait briller doucement la fine goguenardise des chasseurs de profession. Titano n'avait pas d'âge: à le voir agir, on ne lui aurait donné que 25 ans; à regarder son visage, on l'aurait volontiers gratifié d'un siècle. La vérité est qu'il jouissait de quatorze lustres, ce qui ne l'empêchait pas de marcher quinze heures de suite sans se reposer cinq minutes. J'en eus la preuve le lendemain.

Pendant mon examen, le chasseur du marquis avait déchargé les mulets que nous montions et ceux qui portaient notre bagage, et la table de Titano se trouva bientôt encombrée de pâtés, de jambons, de cervelas et autres *harnois de gueule*, comme dit le bonhomme du Fouilloux: les bouteilles de toutes les dimensions et de toutes les formes n'avaient pas été oubliées.

—Excellence, je ne suis pas content, dit Titano qui examinait tous ces préparatifs d'un œil mélancolique. Vous vous défiez pour la première fois de la cave et de la cuisine du vieux soldat. —Non, mon bon Titano, répondit le marquis en posant avec une affectueuse familiarité sa main aristocratique sur l'épaule osseuse du braconnier; mais il est possible que nous poussions notre excursion plus loin que ce canton, et comme nous ne trouverons pas partout des toits aussi hospitaliers que le tien, j'ai dû prendre mes précautions.

La figure de Titano s'illumina.

—Alors, dit-il, votre Excellence acceptera le souper que j'avais préparé pour elle, car je l'attendais. —Sans aucun doute! s'écria joyeusement le marquis. Tu peux faire dresser la table.

En un clin d'œil, Titano eut rangé les provisions apportées par nous dans son buffet; puis il se mit à l'œuvre avec une activité extraordinaire, et en peu d'instants notre couvert fut dressé.

L'air vif des montagnes m'avait donné un de ces appétits de chasseur qui sont passés en proverbe; de sorte que je fus médiocrement satisfait de la perspective que les vivres de notre hôte, dont je ne me faisais pas une bien haute idée, remplaceraient les excellentes provisions apportées par nous et préparées par le cuisinier du marquis, l'un des meilleurs *maîtres-queux* que j'eusse jamais rencontrés.

Je ne pus m'empêcher d'en faire, en plaisantant, le reproche à Stephano.

— Ne t'inquiète pas, me répondit-il: c'est plus encore par gourmandise que pour ne pas affliger ce bon Titano que j'ai accepté son invitation. Ce brave homme, tel que tu le vois, nous donnera un souper délicieux, et nous fera boire du vin comme le roi n'en a pas dans sa cave. — Il est donc riche? — Lui? il ne possède, comme disent les Sardes, que le terrain qui est sous son pied: c'est ce que vous appelez en France un pauvre diable. — Alors comment fait-il? — C'est une espèce de secret, mais je puis bien te le dire à toi, parce que tu ne le trahiras pas: Titano sert de télégraphe aux contrebandiers de ton pays. — Et on le laisse faire? — On ne l'a jamais pris en flagrant délit; puis comme on sait qu'il ne s'est pas enrichi à ce métier, on ne le tourmente pas trop. — Quel est son système? — Il se fait payer en comestibles les petits services qu'il rend. Aux uns il dit: Vous êtes de la Provence, vous m'apporterez de l'huile d'olive, des anchois et des saucissons d'Arles; aux autres: Vous êtes du Dauphiné, je veux des truffes, du vin de l'Hermitage et du poisson de l'Isère; à ceux-ci, il demande des volailles; de ceux-là il exige du café, des liqueurs et du chocolat; et tous le servent à merveille, parce que si on le trompe une fois, il est impossible de jamais rien obtenir de lui. — Mais avec un semblable métier, il doit être toujours par monts et par vaux. Comment cela s'arrange-t-il avec son goût pour la chasse, et comment, toi, étais-tu sûr de le rencontrer ici ce soir? — Je t'ai dit qu'il était le télégraphe des contrebandiers, je ne t'ai pas dit qu'il fût leur guide: il n'est pas assez niais pour cela. — Je commence à comprendre. — Demain, quand tu auras vu la position de sa chaumière, tu comprendras encore mieux: c'est sans quitter le pas de sa porte qu'il fait sa petite affaire. Je vais t'expliquer...

Stephano s'arrêta, et, après avoir examiné la table que notre hôte avait préparée, il reprit en s'adressant à lui:

— Que signifient ces deux couverts, Titano? est-ce que tu ne serais pas homme à souper une seconde fois si tu as soupé une première? — Mais, Excellence, je ne sais pas si ce... ce monsieur français voudra me faire l'honneur de... — Le crois-tu donc plus bête que moi, interrompit le marquis. Je te réponds de lui. Mets un troisième couvert, mon bon vieux Titano, et ne te tourmente pas du reste.

Je m'empressai de confirmer les paroles de Stephano, et comme en ce moment le vieux braconnier s'approchait de la cheminée près de laquelle nous étions, pour mettre une poêle à frire sur le feu, je lui donnai une cordiale poignée de main qui acheva de le convaincre que j'étais un aussi bon compagnon que mon ami le marquis de Nora.

— Vous avez là un bien beau chien, dis-je à Titano qui, pour placer convenablement sa poêle, venait de faire lever un peu brusquement un magnifique épagneul couché en travers du foyer, et dont j'avais respecté le sommeil, bien qu'il occupât la meilleure place et que le froid qui m'avait creusé l'estomac m'eût aussi engourdi les membres. — C'est vrai qu'il est beau, Excellence, me répondit le vieux braconnier avec une sorte d'orgueil, et ce qui vaut encore mieux, c'est qu'il n'a point son pareil non plus pour la bonté. Malheureusement il commence à n'être plus jeune; mais il a encore bon pied, bon œil et l'oreille fine comme à deux ans. — Comment l'appelez-vous? — Torquato. — Vous lui avez donné là un nom bien célèbre. — Ce n'est pas moi: il était tout baptisé quand je le reçus d'une belle dame anglaise qui passait à Pignerol. Le chien avait alors deux mois. On voulait le noyer.

En ce moment Torquato, qui avait deviné qu'on parlait de lui, s'était rapproché de moi, et sa belle tête appuyée contre mon genou, il m'examinait avec un regard brillant d'une intelligence presque humaine.

C'était un épagneul de la plus grande espèce et d'une irréprochable perfection de formes. Il avait le rein court, large et un peu bombé. Son cou, se détachant avec grâce entre deux épaules plates et vigoureuses, supportait la plus belle face canine que j'eusse jamais vue: front développé, oreilles longues, souples, arrondies; mâchoires fines et mobiles terminées par un museau couleur de chair; le tout illuminé par des yeux flamboyants et doux, avec lesquels on aurait pu faire la conversation, tant ils paraissaient comprendre et parler, écouter et répondre. A l'exception de la nuque, des oreilles et des sourcils, qui étaient d'un nankin scintillant admirable, tout le reste du corps était d'une blancheur éblouissante, qui eût fait honte au plumage d'un cygne. La queue, légèrement recourbée, représentait un panache d'une ampleur et d'une richesse extraordinaires, et les jambes, dans toute leur longueur, étaient garnies de poils lisses et chatoyants, qu'on aurait pris volontiers pour des houppes où l'argent et la soie eussent été savamment mélangés.

—Ce bel animal n'est sans doute pas à vendre, dis-je à Titano d'un ton caressant et interrogatif, qui signifiait clairement: *Si vous étiez disposé à vous en défaire, je l'achèterais bien volontiers, et je le payerais très-cher.*— Vendre mon chien! me séparer de mon fidèle Torquato! s'écria le vieux braconnier avec une vivacité qui ressemblait presque à de l'indignation; non, non, Excellence! c'est mon meilleur ami; il ne me quittera jamais de mon vivant; et si je meurs avant lui, comme c'est, Dieu merci, assez probable, Son Excellence le marquis de Nora, ici présent, m'a promis de lui donner les invalides dans son château.

—Et je te renouvelle cette promesse, mon bon Titano, avec l'espoir que je ne serai pas de sitôt dans la nécessité de la tenir, reprit le marquis avec une affectueuse bonhomie.

Il ne fallait plus songer à m'approprier Torquato au moyen d'un de ces marchés que les chasseurs font quelquefois entre eux; alors je rabattis mes prétentions de la manière suivante:

—Ne pourrait-on, du moins, avoir un rejeton de ce magnifique animal? demandai-je.

Titano me lança en dessous un regard tout à la fois bienveillant et narquois, qui illumina sa physionomie rabelaisienne et fit jaillir un trait d'esprit de chacune des rides de sa face.

—Je ne demanderais pas mieux que de vous en donner un, Excellence, me répondit-il... Mais, voyez-vous, Torquato est un peu comme moi, l'amour n'est pas son affaire: il n'a jamais vu qu'une chienne dans sa vie, et j'ai eu toutes les peines du monde à l'empêcher de l'étrangler; après cela, il faut dire qu'elle était bien laide et qu'elle courait accompagnée d'un affreux roquet pour lequel elle semblait avoir une préférence marquée.

Moi qui n'ai jamais pu me décider à faire la cour à une femme affublée d'un vilain mari, je compris parfaitement la répugnance de Torquato, et je n'en conçus que plus d'estime pour son caractère.

Cependant, comme je savais qu'il existe bon nombre d'hommes dont la continence n'est pas aussi méritoire qu'ils voudraient le faire supposer, je me dis qu'il pourrait bien en être de même de certains chiens, et sous l'influence de cette pensée, je m'approchai de Stephano et je lui glissai quelques mots dans l'oreille.

— Ma foi! je n'en sais rien, me répondit-il en riant: demande-le-lui toi-même; mais il est homme à ne pas comprendre ce que tu lui diras. — Cependant il a été soldat. — Ce qui ne signifie rien du tout: s'il avait été moine, à la bonne heure... Voyons, fais-lui ta question. — Peut-être que ce serait plus facile en patois piémontais, repris-je avec cette insistance que l'on met quelquefois à vaincre des difficultés insignifiantes. — Au fait, tu as peut-être raison: le piémontais est un peu comme le latin.

Et le marquis adressa à Titano quelques mots dans ce jargon mêlé désagréablement de mauvais français et de mauvais italien, qui forme la langue dont on se sert dans les États héréditaires de Sa Majesté le roi de Sardaigne.

Titano partit d'un immense éclat de rire, avec lequel fit immédiatement *chorus* la poêle à frire, dont le contenu était arrivé à son plus haut degré d'ébullition.

Le vieux braconnier n'attendait peut-être que la fin de son hilarité pour répondre à la question du marquis, lorsque Torquato, dont la tête reposait toujours contre mon genou, dressa les oreilles autant que leur conformation le permettait, leva le nez comme pour mieux aspirer l'air, et s'élança d'un seul bond vers la porte de la chaumière, contre laquelle il se dressa de toute sa hauteur.

A l'instant même la figure épanouie de Titano prit une expression de gravité et d'inquiétude que je n'avais pas encore remarquée en elle. La transformation fut complète, et elle se produisit d'une manière si prompte que je ne pus la comparer dans le moment qu'à la rapidité avec laquelle un ciel orageux redevient sombre quand un éclair l'a sillonné.

Bientôt on entendit au dehors le bruit sourd et monotone de pas réguliers.

Puis un murmure confus de voix et un vague cliquetis d'armes vinrent se mêler presque aussitôt à ce premier bruit, dans une harmonie qui avait quelque chose de solennel et presque de lugubre.

Enfin des crosses de fusil retombèrent lourdement sur les roches aplaties qui environnaient la chaumière de Titano, et l'une d'elles, dirigée par une main brutale ou impatiente, frappa la porte comme si on eût voulu l'enfoncer.

A mon grand étonnement, Torquato, en entendant tout ce tapage, retomba sur ses quatre pattes et revint s'étendre nonchalamment devant la cheminée. Je remarquai même qu'il ferma immédiatement les yeux comme quelqu'un qui fait semblant de dormir.

—Il n'y a donc personne dans cette baraque? cria au dehors une voix rude et grossière en mauvais français. Voilà pourtant de la lumière.

Et un second coup de crosse plus formidable que le premier mit de nouveau à l'épreuve la solidité de la porte: quelques jurons énergiques lui servirent d'accompagnement.

—Veux-tu que j'aille ouvrir? demanda à voix basse le marquis à Titano qui, de même que son chien, ne paraissait plus s'inquiéter de ce qui se passait à l'extérieur. Le trouble de sa physionomie s'était dissipé comme par enchantement à dater du moment où Torquato était venu reprendre sa place auprès du foyer.—Ce sont les douaniers, Excellence: ne nous gênons pas pour eux; ils peuvent bien attendre qu'il plaise à ces tanches d'être frites à point.—Mais ils démoliront la maison s'ils se mettent de mauvaise humeur.—Qu'ils cassent seulement la porte, et je vous promets, Excellence, que ce mauvais morceau de bois leur coûtera aussi cher que si c'était de l'argent massif. Il y a longtemps que je cherche l'occasion de leur faire un procès.—Tu n'en aurais pas le droit en cette circonstance, puisqu'on est obligé de leur ouvrir à toute heure et à première réquisition.—C'est vrai pour les portes fermées, Excellence... Mais pour celles qui ne le sont pas, la loi ne dit rien; ce qui signifie qu'ils peuvent bien prendre la peine de la pousser eux-mêmes. Eh bien! qu'ils mettent la mienne en mille morceaux si ça les amuse; je vous prendrai à témoin qu'elle ne tenait que par le loquet, et nous verrons une drôle d'affaire au tribunal de Pignerol.

En ce moment Titano jugea que ses tanches étaient frites, convenablement car il retira sa poêle de la partie ardente du foyer et il la posa sur des cendres chaudes.

On entendait au dehors les douaniers parler à voix basse comme des gens qui délibèrent.

—Puisqu'ils sont si bons enfants, je vais leur ouvrir, dit Titano en se dirigeant vers la porte, dont il leva le loquet avec un seul doigt.

Cinq ou six hommes armés parurent sur le seuil; mais aucun d'eux ne fit mine de vouloir entrer.

—Tu l'as échappé belle, dit celui qui paraissait le chef de la bande.—Vous veniez pour me prendre?... répondit le vieux braconnier d'un ton goguenard.—Ce sera pour un autre jour... mais nous allions mettre ta porte en déroute, quand nous avons appris que Son Excellence le marquis de Nora était chez toi.

Et en prononçant ces mots le chef des douaniers salua militairement Stephano qui s'était avancé pour intervenir au besoin.

Nous comprîmes alors ce qui s'était passé: le chasseur du marquis, en revenant d'un petit hangar voisin, où il était allé porter la *mouée* à nos chiens, avait raconté à ces hommes que son maître était chez Titano, et à l'instant même les mesures violentes avaient été abandonnées.— Ah! vous auriez mis ma porte en déroute, dit le vieux braconnier. *Corpo di Bacco!* je suis joliment fâché que vous ne l'ayez pas fait! Maintenant, que me voulez-vous? ajouta-t-il, parlez vite et dépêchez-vous de me montrer les talons.—Je veux, répondit le chef des douaniers, te prévenir que c'est moi qui remplace le brigadier Broschi, destitué depuis hier pour fait de connivence avec toi, et...—C'est un mensonge qui a servi à une injustice, interrompit Titano avec indignation. Broschi faisait bien son devoir, quoiqu'il ne fût pas un enfonceur de portes ouvertes, comme toi, mon camarade.—Tâche toujours de marcher droit, reprit le brigadier.—Si je marche droit, ce sera parce que c'est mon habitude, car tu ne me fais pas peur. As-tu tout dit? Attention! peloton, demi-tour à gauche, en avant, pas accéléré, marche!

Les douaniers restèrent immobiles, et leur chef se pencha en avant pour examiner tout l'intérieur de la chaumière.

—Ah! ah! dit-il, voilà donc ce fameux chien?

Et il désigna du doigt Torquato toujours étendu devant le foyer.

Je jetai à la dérobée un regard sur Titano, et il me sembla que sa physionomie joviale et triomphante devenait tout à coup sombre et abattue.

—Eh bien! oui, voilà ce fameux chien, répéta-t-il avec humeur... et après?—Après? Je te dirai que vous ne vous ressemblez guère. Tu es insolent, toi, et lui, il me fait l'effet d'être le plus grand sournois du monde... Mais, qu'il y prenne garde, j'aurai aussi l'œil sur lui, et...—De sorte, interrompit Titano une seconde fois avec un accent de menace, que s'il arrive quelque malheur à mon chien, je saurai que c'est toi qui en auras été la cause.—Précisément.—Alors tu feras bien de veiller sur ta peau; car le jour où on en arrachera un seul poil, la tienne sera bien près d'avoir une entaille.

Stephano pensa que le moment était arrivé pour lui de dire son mot dans ce débat qui commençait à devenir un peu vif.

—Paix, mon bon Titano, dit-il d'une voix affectueuse en posant sa main droite sur l'épaule du vieux braconnier; tout cela n'est que de la goguenardise de soldat: le brigadier ne songe pas à faire du mal à ton chien.—Lui soldat, Excellence! s'écria Titano, il ne l'a jamais été.—Il en a les dangers s'il n'en a pas la gloire, reprit le marquis, sans s'apercevoir qu'il venait de faire un alexandrin classique des plus ronflants. Touchez-vous la main, et faites en sorte de n'avoir rien à démêler ensemble.—Que je touche la main d'un homme qui a menacé Torquato! Jamais! Excellence!—S'il l'a fait pour rire.—Je ne veux pas qu'on rie de mon chien.—Voyons, brigadier, reprit Stephano en s'adressant au chef des douaniers, affirmez à mon vieil ami Titano que ce n'est pas sérieusement que vous menacez son chien.—J'aime mieux le mettre en colère que le tromper, Excellence, répondit le brigadier avec une assurance respectueuse. A tort ou à raison, on nous a dénoncé son chien comme un serviteur très-intelligent et très-dévoué des contrebandiers, et j'ai l'ordre de le tuer si je le prends en flagrant délit. En venant le prévenir ici, je crois avoir fait une bonne action.

Le marquis fit un signe de tête approbatif en se tournant du côté de Titano, comme pour lui dire *Tu vois, ce qu'il a fait n'est pas d'un méchant homme.*

—Ah! on a dénoncé mon chien, reprit le vieux braconnier d'une voix sombre: et qu'a-t-on dit qu'il faisait?—Ceci me regarde... Tiens-le *de court* seulement, repartit le brigadier, je ne te prends pas en traître j'espère.—Et qu'appelles-tu prendre un chien en flagrant délit? demanda Titano.—Je veux bien encore répondre à cette question, quoique rien ne m'y oblige. Eh bien! donc, si je rencontre ton chien errant tout seul dans la montagne, ou si je le vois passer en compagnie de gens suspects, je lui enverrai une balle dans la tête aussi sûr que je m'appelle Carlo Volenti. — Mais si tu rencontres Torquato qui est un chien de chasse, je serai peut-être derrière lui, mon fusil à la main; dans ce cas le tueras-tu toujours?

Et la physionomie déjà sombre et terrible de Titano avait pris une expression féroce, pendant qu'il adressait cette question au brigadier Volenti.

— Je ne suis pas un enfant, répondit ce dernier, et je sais distinguer le bien du mal; ton chien peut chasser tant qu'il voudra, il ne courra pas le moindre danger; mais s'il se mêle de contrebande, tu sais ce que je t'ai dit... — C'est bon, c'est bon, grommela Titano avec une sorte de bonne humeur, en même temps que ses traits reprenaient leur sérénité joviale: il ne s'agit que de s'entendre. Eh bien, c'est convenu, si tu rencontres Torquato avec moi, tu ne lui feras pas de mal... — Pourvu, bien entendu, que vous soyez en chasse tous les deux, interrompit le brigadier.

Pendant toute cette conversation, la porte de la chaumière était restée ouverte, de sorte que, dans l'intervalle qui sépare toujours les phrases d'un dialogue, on entendait les bruits du dehors, bornés du reste, à cette heure avancée de la soirée, au frémissement du vent dans le feuillage et au murmure doux et monotone d'une petite source dans les environs de la chaumière de Titano.

En ce moment le chant plaintif d'un hibou vint faire sa partie dans ce concert, qu'il n'égaya pas, comme on doit le supposer.

Je jetai par hasard les yeux sur Torquato, toujours allongé devant l'âtre, et il me sembla qu'une contraction nerveuse agitait ses membres et que sa paupière tressaillait comme si elle allait se soulever.

Cependant le chien ne bougea pas et ses yeux ne s'ouvrirent point.

J'ai dit que Titano avait paru s'humaniser après la dernière réponse du brigadier Volenti; cette disposition était devenue plus marquée, et elle se manifesta tout à fait quelques instants plus tard.

— Eh bien! brigadier Volenti, dit-il avec jovialité, puisqu'il est bien entendu que nous devons vivre désormais en bonne intelligence, tu ne refuseras pas de boire un verre de vin d'*Asti* avec moi. Entrez,

entrez, camarades! Voici la table de Son Éminence le marquis de Nora; mais il sera facile d'en dresser une pour vous à côté.

Les douaniers entrèrent, mais ils eurent le soin de laisser la porte de la chaumière toute grande ouverte, afin de surveiller tout ce qui pourrait se passer au dehors: nous sûmes depuis qu'ils avaient eu avis qu'une vaste opération de fraude devait se faire, cette nuit-là, par des sentiers détournés, situés à peu de distance de la demeure de Titano.

Cependant ce dernier se donnait un mouvement extraordinaire pour bien recevoir ses nouveaux hôtes. Il apportait des chaises, étendait une nappe sur une seconde table, rinçait des verres et mettait du bois sur le foyer, qui n'avait pas besoin pourtant d'être alimenté.

Il se trouva que Torquato le gêna pour cette dernière opération, et à ma profonde surprise, je vis le vieux braconnier allonger un vigoureux coup de pied à ce noble chien, pour lequel il paraissait avoir une véritable passion.

Torquato se leva en poussant un hurlement plaintif, et il se réfugia sur le seuil de la chaumière, ayant tout le train de devant hors de la maison et tout le train de derrière dans l'intérieur.

Le hibou venait de chanter une seconde fois, et le chien poussa un second hurlement comme si la douleur du horion qu'il avait reçu se réveillait de nouveau.

—Votre chien est bien douillet ce soir, père Titano, dit un douanier en vidant son verre. —Ce n'est pas que je lui aie fait grand mal, répondit le vieux braconnier. Si le coup lui avait été donné par vous, il ne se serait pas seulement dérangé; mais quand c'est moi qui le *tape*, il *gueule* pendant un quart d'heure... Allons, allons, mon bon chien, faisons la paix, reprit Titano en appelant l'épagneul par un claquement de ses doigts osseux.

Torquato quitta le seuil de la chaumière, vint près de la table des douaniers lécher la main de son maître, qui dans ce moment leur reversait à boire, puis il retourna s'étendre tout de son long devant l'âtre.

—Ce chien est bien mollasse et bien sensible aux coups, pour le métier qu'on prétend qu'il fait, murmura à voix basse le brigadier Volenti en s'adressant à celui de ses hommes qui était debout à son côté auprès de la table; on m'aura donné de faux renseignements. —Je vous l'avais bien dit, repartit du même ton le douanier. Le maître et le chien ne pensent qu'à la chasse, c'est connu de tous les honnêtes gens du pays. Ceux qui disent le contraire, voyez-vous, mon brigadier, sont des jaloux et des menteurs, peut-être des fraudeurs eux-mêmes... Il a beaucoup d'ennemis, ce pauvre Titano, qui n'a cependant jamais fait de mal à un enfant: et savez-vous pourquoi il en a tant? Parce qu'il a pour protecteurs tous les nobles de la contrée, à commencer par le marquis de Nora qui est le meilleur ami du roi. S'il faisait la contrebande il serait riche, et on le rencontrerait quelquefois avec des personnes mal famées; au lieu de cela, il est pauvre, et il va toujours seul comme un ours. Croyez-moi, surveillons-le, mais ne le tracassons pas. — Je ne demande pas mieux, Ravina, et... — A votre santé, brigadier Volenti, interrompit Titano qui n'avait pas perdu un mot de ce dialogue, bien qu'il eût été à peu près confidentiel. A votre santé, mon brave! et la première fois que je descendrai à Pignerol pour acheter de la poudre et du plomb, je vous porterai une couple de faisans ou un quartier de chamois, et peut-être tous les deux si la chasse a été bonne.

Le vieux braconnier, en cessant de tutoyer Volenti, prouvait que sa rancune était complètement évanouie, car le tutoiement chez lui comme chez toutes les natures un peu sauvages, était toujours un signe de colère et presque une menace de vengeance.

Le brigadier répondit avec un mélange de bonhomie et de rudesse qui semblait former le fond de son caractère:

— Père Titano, j'accepterai de bon cœur vos faisans et votre quartier de chamois, si ce n'est pas pour m'aveugler que vous me les jetez à la tête. Moi, je suis bon enfant, mais je ne connais qu'une chose: c'est le service du roi... En outre, je suis père de famille, et je ne me soucie pas de perdre ma place. Donc, si par malheur je vous prenais en fraude, et par les reliques de mon saint patron je ne le souhaite point, m'eussiez-vous donné tous les faisans qui volent depuis le col de Tende jusqu'au Splügen et tous les chamois qui gambadent entre le mont Viso et le grand Saint-Bernard, je n'en ferais pas moins un bon rapport contre vous; de même que si vous ne me donniez rien, je ne vous vexerais pas inutilement. A tort ou à raison, on a destitué le vieux Broschi, sous prétexte que vous vous entendiez tous les deux comme larrons en foire; à tort ou à raison, on prétend encore que votre épagneul et vous, vous avez une foule de ruses pour servir les nombreux contrebandiers qui parcourent ces montagnes: ça peut être un mensonge comme il peut se faire aussi que ce soit une vérité: j'en déciderai par moi-même... En attendant, à votre santé, père Titano! et puissions-nous un jour être non pas complices, mais bons camarades comme il convient à d'anciens soldats.

Et le brigadier vida d'un trait son verre où pétillait une liqueur couleur de topaze, de l'aspect le plus réjouissant.

—Cet asti est délicieux, reprit-il en faisant claquer ses lèvres... On dirait, sur mon honneur, du petit muscat de France.—Ah! c'est qu'il est vieux, repartit Titano avec un hochement de tête qui paraissait vouloir dire: Tout ce qui est vieux est excellent.

En ce moment le hibou fit entendre de nouveau son chant plaintif et monotone, mais plus faible et plus éloigné, et dans une direction entièrement opposée à celle où il avait retenti les deux premières fois.

—Père Titano, vous avez donc beaucoup de ces vilaines volailles dans vos montagnes? demanda à notre hôte celui des douaniers qui avait intercédé pour lui auprès de son chef, quelques minutes auparavant.—Vous pouvez bien le dire que nous en avons, Ravina. C'est une vraie peste. J'en tue au moins cinquante ou soixante tous les ans, et vous voyez qu'il n'y paraît guère. Il y a des soirs où c'est à ne pas s'entendre.—Ils annoncent le beau temps, n'est-ce pas? reprit Ravina.—Ça dépend, répliqua le vieux braconnier d'un ton goguenard: quand ils chantent la veille d'un beau jour, c'est le beau temps qu'ils annoncent; mais quand ils chantent la nuit qui précède une grande pluie, évidemment c'est le mauvais temps qu'ils prédisent.

Je ne pus m'empêcher de rire de cette réponse qui me rappela les aphorismes railleurs du vieux Denis, dont mon père venait de m'apprendre, dans sa dernière lettre, la maladie qui devait nous l'enlever quelques mois après.

Le hibou chanta une dernière fois, mais ce fut à peine si nous l'entendîmes.

Torquato, qui n'avait pas quitté sa place devant le feu, se leva alors avec lenteur, s'allongea, se détira, et après avoir exécuté un de ces formidables bâillements de chien que tous les chasseurs connaissent, se laissa tomber de nouveau comme une masse inerte, en poussant un de ces soupirs qui annoncent la fatigue ou l'ennui, quelquefois tous les deux ensemble.

Pendant cette petite scène, Stephano et moi nous étions restés près de la cheminée, et nous échangions de temps en temps quelques paroles à voix basse.

Neuf heures sonnèrent à une pièce de coucou qui était le meuble le plus élégant de la chaumière de Titano.

A ce signal, les douaniers quittèrent la table, reprirent leurs carabines qu'ils avaient appuyées debout contre les murs, en entrant, serrèrent l'un après l'autre, le brigadier en tête, bien entendu, la main de Titano, défilèrent devant nous en nous saluant respectueusement; enfin ils sortirent, et bientôt le bruit de leurs pas se perdit dans le lointain.

Titano les accompagna jusqu'à une certaine distance, et quand il revint, je remarquai qu'il laissa la porte de la chaumière ouverte, quoique le vent qui venait du dehors fût un peu piquant à cette heure.

—Ma foi! tu t'en es joliment bien tiré, mon vieux! lui dit le marquis. Tâche seulement d'être aussi heureux à l'avenir; mais ce ne sera pas chose facile, car tu n'auras plus affaire au vieux Broschi.

Le braconnier posa son doigt sur ses lèvres, en indiquant de l'œil la porte ouverte, voulant sans doute faire entendre qu'il ne serait point impossible qu'on l'espionnât du dehors.

—Pst! fit-il ensuite.

Torquato se leva avec une vivacité surnaturelle, et d'un seul bond il fut aux pieds de son maître, sur les yeux duquel il attacha les regards les plus intelligents et je dirais presque les plus passionnés.

—Apporte! lui dit le vieux braconnier d'une voix si basse que le son vint à peine jusqu'à moi qui étais à trois pas d'eux.

Torquato s'élança comme un trait hors de la chaumière: son ardeur était quelque chose d'incroyable.

J'examinai cette pantomime avec une extrême curiosité, et je voyais que Stephano s'amusait beaucoup du plaisir que je semblais prendre à cet examen, et de l'idée que je ne comprenais rien à ce qui se passait.

L'épagneul resta environ dix minutes absent: nous l'attendîmes dans un profond silence. Pour ma part j'étais intéressé au plus haut degré à ce qui se passait.

Le chien rentra en gambadant comme il était sorti, puis il sauta sur son maître, contre lequel il se tint debout; et le vieux braconnier ayant un peu incliné la tête, Torquato lui lécha la face à deux ou trois reprises.

— Nous pouvons rire à présent! s'écria Titano.

Et il se mit à sauter absolument comme l'épagneul avait fait quelques secondes auparavant: son agilité tenait vraiment du prodige, et ce qu'il y avait de plus drôle dans tout cela, c'est que le chien faisait autant de cabrioles que son maître.

— Partis! tous partis! reprit Titano sans interrompre ses gambades... Ah! vous croyez, Excellence, que j'aurai plus de peine à me tirer d'affaire avec Volenti qu'avec Broschi? Erreur! erreur, *signor marchese*. Avez-vous vu comment nous avons débuté tous les deux? — J'ai compris que tu avais réussi à jeter des doutes dans son esprit au sujet de tes relations avec les fraudeurs qui font la contrebande. — Comment! vous n'avez vu que cela, Excellence? — Pas autre chose, je te jure. — Excellence, vous feriez un mauvais douanier. — Je ne te dis pas le contraire. — Mais vous avez du moins entendu le chant du hibou? — Oui. — Et vous vous souvenez que j'ai donné presque dans le même moment où ce chant retentissait pour la première fois, un coup de pied à mon pauvre chien qui était étendu, comme un chamois mort, devant la cheminée. — Je crois effectivement me rappeler... — Eh bien! Excellence, tout cela était convenu entre nous. — Comment! entre nous? — Entre moi et mon chien. — Quel diable de conte viens-tu nous faire là? — Et les douaniers n'y ont vu que du feu: Volenti tout le premier. — Explique-toi plus clairement. — Mon Dieu, ça n'est pas bien difficile. Le hibou, c'était la bande de Gomberti, le contrebandier de Briançon. Elle a passé à deux minutes d'ici pendant que les habits verts buvaient mon vin, et quand j'ai envoyé Torquato crier sur la porte, c'était pour l'avertir que la route était libre, attendu que les douaniers étaient chez moi. — Et ton chien sait ce qu'il a fait? — Parfaitement. — Ça n'est pas croyable, dis-je à mon tour. — Excellence, je vous en ferai voir bien d'autres demain pendant la chasse. — Que lui avez-vous ordonné de faire tout à l'heure quand vous l'avez envoyé dehors? — Une patrouille. — Et vous avez compris à sa manière d'agir au retour, que les douaniers s'étaient éloignés? — Précisément. — Il avait l'air tout joyeux: cela se comprend, il vous apportait une bonne nouvelle; mais s'il vous en eût apporté une mauvaise, comme par exemple l'avis que votre chaumière était surveillée, comment se serait-il comporté? — Comme vous avez vu qu'il a fait quand les douaniers ont frappé à ma porte: il se serait couché tout de son long. Plus alors son apathie est grande, plus le danger qu'elle signale est grand aussi. — Tout cela tient du prodige, et je conçois, père Titano, que vous vous refusiez à vendre un animal aussi précieux. Sa supériorité comme *chasseur* est-elle égale à celle qu'il déploie comme contrebandier? — A cet égard, je ne vous dis rien, Excellence..... Vous jugerez vous-même demain.

Et Titano se remit aux préparatifs de notre souper, que tous ces événements avaient un peu retardés. La prodigieuse activité de notre hôte, délivré désormais de toute inquiétude, lui eut bientôt fait réparer le temps perdu. En un clin d'œil la friture de tanches, remise un instant sur le feu, fut posée sur notre table. Pendant que nous lui faisions fête, Titano alla prendre dans son bahut, pour les mettre aussi devant nous, un magnifique pâté de perdreaux et de faisans, confectionné par lui avec un talent que n'eût pas désavoué le plus habile cuisinier; un jambon de *Milan*, du thon de *Marseille, sans doute apporté sur l'aile des hiboux*; des anchois, des olives et des friandises sans nombre. Quant aux vins, ils étaient exquis et aussi variés que les mets. Pour l'ordinaire, de l'*Hermitage blanc*; pour l'entremets, du *Côte-Rôtie* et du *Saint-Péray*; au dessert, qui fut du reste assez maigre, du *Rivesaltes* comme je n'en avais jamais bu.

Quand notre table fut garnie de tout ce qui nous était nécessaire pour souper bien et longtemps, Titano, sur une nouvelle invitation du marquis, vint prendre sa place entre Stephano et moi.

— Excellence, dit-il en s'adressant au premier, vous n'aurez pas votre *caviar* aujourd'hui; mais je vous le promets pour demain... Le hibou a chanté ce soir. — Mais demain aurons-nous beau temps pour la chasse? demandai-je. — Magnifique, Excellence! et je vous promets gibier et plaisir. — Et si les contrebandiers ont besoin de vous pendant votre absence, comment feront-ils? — Ils ne passent jamais qu'après le coucher du soleil, et alors il est probable que nous serons de retour; d'ailleurs... — Écoute, mon bon Titano, interrompit le marquis avec une affectueuse gravité, tu as tort de ne pas abandonner ce métier périlleux, et, permets-moi d'ajouter, peu convenable, pour un vieux soldat qui n'a jamais rien eu à se reprocher. Tu es dénoncé sérieusement aujourd'hui; tu es surveillé; ceux qui t'ont vendu comme ceux qui t'observent ne te laisseront ni paix ni trêve. On finira par te prendre en flagrant délit; on te tuera ton chien, et on te fera payer une amende qui te réduira à la besace.—Me tuer mon chien, Excellence! s'écria Titano en devenant pâle de colère et en frappant du poing sur la table. Malheur à celui qui serait assez hardi pour cela!—Tu le tuerais à ton tour, n'est-ce pas?—Aussi vrai que vous êtes le plus noble et le plus brave seigneur de tout le Piémont.—Ce serait, ma foi! une belle affaire. Voyons, m'aimes-tu un peu?—Si je vous aime, Excellence!—Eh bien! promets-moi que tu laisseras désormais ces gens se tirer tout seuls d'embarras.—Je me suis engagé encore pour une passe.—Va pour une, mais après...—Après... après, répondit Titano en hésitant... Je ferai ce que Votre Excellence voudra.—C'est promis?—C'est juré! Excellence, à votre santé!

Debout de bonne heure, le lendemain, j'acquis d'abord la certitude qu'au moins une des promesses que le vieux Titano nous avait faites, la veille au soir, serait réalisée, car tout annonçait une journée magnifique, une de ces journées dont l'apparence seule suffit pour faire entrer l'espoir et la joie au cœur du chasseur. Quand j'arrivai sur la porte de la cabane, que j'avais ouverte avec précaution pour ne pas réveiller mon compagnon et mon hôte, la nuit n'était pas entièrement achevée encore, mais comme elle était belle à son déclin! Elle avait la transparence des jours les plus purs et la douceur des soirées les plus tièdes. Le bruit sourd de la chute de quelque cascade lointaine, et le murmure voisin d'une source rapprochée arrivaient à mon oreille, confondus dans une harmonie tout à la fois imposante et mélancolique. La brise, fraîche et parfumée comme l'haleine d'un enfant à la mamelle, m'apportait les suaves émanations des violettes et des tubéreuses sauvages qui croissent en automne sur les hauts sommets des Alpes, charmant et dernier effort de leur âpre nature, bientôt paralysée par l'hiver. A ma droite, le croissant de la lune, mince comme un arc d'argent, disparaissait derrière un pic couvert de neige, qu'il éclairait d'une teinte rosée dont l'effet était ravissant et tout à fait nouveau pour moi. A ma gauche, le feuillage d'un groupe d'arbres bruissait avec une volupté mystérieuse, semblable à la conversation nocturne de deux amants. Rien ne saurait donner l'idée du charme et de la paix de ces rapides instants que je savourais avec une ivresse recueillie. Bientôt l'aurore se leva à la fois riante et splendide, comme une jeune fille que Dieu aurait douée tout ensemble d'une grâce enchanteresse et d'une majestueuse beauté. Quelques étoiles brillaient encore dans l'azur sombre du ciel, que déjà une gerbe de rayons d'un éclat sans pareil s'élançait à l'horizon, semblable au bouquet d'un feu d'artifice. D'abord les dentelures des montagnes se détachèrent inégales et noires sur ce fond lumineux; puis elles prirent bientôt elles-mêmes ses riches couleurs de pourpre et d'or, et dans quelques minutes le spectacle que j'avais sous les yeux fut le plus admirable qui eût jamais frappé mes regards. A mesure que le soleil montait et avant même que son disque eût paru, l'ombre semblait fuir devant l'éclat de ce triomphateur, et, de seconde en seconde, de nouvelles merveilles s'offraient à mon admiration toujours croissante. Ici, un petit lac sortait peu à peu de la brume qui le voilait, comme un œil bleu dont la paupière se soulèverait lentement, là, de sombres sapins, lugubres fantômes pendant la nuit, dégageaient leurs têtes de l'obscurité, et progressivement resplendissaient depuis le plus jeune rameau de leurs plus hautes branches jusqu'à la base noueuse de leurs troncs séculaires. Derrière moi, de grandes masses de forêts couronnaient de gigantesques montagnes; à mes pieds, un gazon fin et brillant servait de tapis à une large et profonde vallée, au milieu de laquelle serpentait une petite rivière indiquée par une longue et sinueuse traînée de vapeurs que le soleil n'avait pas encore eu le temps d'atteindre. Dans ce tableau, le côté sévère était sublime, et ce qu'il avait de riant était délicieux: c'était la nature dans sa grâce et dans sa majesté.

Je pus alors prendre cette idée exacte de la position qu'occupait la cabane de Titano, et juger combien elle était favorable à la double profession exercée par le vieux braconnier. De quelque côté que la vue se portât, elle pouvait sans obstacle s'étendre au loin. Dans la direction de Pignerol, elle rencontrait les montagnes disposées en amphithéâtre; à l'opposé, la vallée large et profonde dont j'ai parlé. Ainsi, sans quitter le seuil de sa cabane, Titano pouvait inspecter les environs, de manière à toujours éviter une surprise pour lui ou ses amis, et à prévenir ceux-ci au moyen de signaux parfaitement innocents en apparence, et dès lors incompréhensibles pour l'œil soupçonneux de la douane. A coup sûr, si j'eusse habité ce lieu, je me serais distrait par la contrebande les jours où il ne m'eût pas été possible d'aller à la chasse.

Comme je faisais justement cette réflexion, j'aperçus une grande ombre qui s'allongeait devant moi sur ma droite, et je sentis en même temps une haleine sur ma main gauche pendante à mon côté.

L'ombre, c'était Titano qui me saluait; l'haleine chaude, c'était Torquato qui me léchait les doigts.

Je tendis une main amicale au premier, et je caressai le museau velouté du second.

— Eh bien! Excellence, me dit le vieux braconnier, j'espère que vous achèterez de mes almanachs. Quel temps nous allons avoir aujourd'hui! — Un peu chaud peut-être, répondis-je. — Dans la vallée, oui, je ne dis pas, Excellence, reprit Titano; mais quand nous aurons grimpé jusqu'à ces sapins que vous voyez là-bas, je vous réponds que l'air qui nous soufflera au visage ne nous donnera pas la migraine. — Et vous croyez que nous trouverons du gibier? — Si nous en trouverons, Excellence! ah! vous pouvez bien le dire. Il n'y a que moi qui chasse par ici, et quoique j'en tue un peu tous les jours, toute l'année, il n'en manque jamais: d'ailleurs, chaque automne je ne touche pas aux meilleurs cantons, que M. le marquis n'ait fait sa tournée; ainsi nous aurons du neuf aujourd'hui. — Alors vous me répondez que vous me ferez tuer quelques coqs de bruyère. — Je vous dirai cela quand je vous aurai vu jeter votre premier coup de fusil; jusque-là je ne m'engage qu'à vous en faire tirer une vingtaine: le reste vous regarde. — Une vingtaine! m'écriai-je; on dit cependant que c'est un gibier si rare. — Il est rare, en effet, pour les paresseux qui ne se donnent pas la peine de le chercher, et pour les ignorants qui ne savent pas où il se tient; mais le vieux Titano a de bonnes jambes et le nez fin. — Et que trouverons-nous encore, en fait de gibier, dans vos montagnes? demandai-je avec une curiosité qui sera comprise de tous les vrais chasseurs. — Des gélinottes, des lièvres et des perdrix grises, rouges et blanches; mais pour ces dernières, si vous êtes curieux d'en voir, il ne faudra pas craindre vos peines; elles ne descendent jamais plus bas que les dernières neiges. — Vous trouverez, j'espère, en moi, un compagnon ayant bon pied, bon œil, digne de vous, enfin, mon cher Titano; et je vous prie de ne pas me ménager la fatigue: je veux voir tout ce qu'il y a de curieux en ce pays, comme chasse: ainsi, par exemple, je donnerais deux louis pour tuer un chamois; mais c'est impossible, n'est-ce pas? — Bah! qui sait, Excellence? un chasseur, de même qu'un soldat, ne doit jamais dire: c'est impossible... le diable est bien malin et le père Titano n'est pas gauche. — Eh bien! voilà qui est convenu: vous me ferez tuer un chamois et je vous donnerai deux louis. — Je ferai de mon mieux pour l'un, Excellence; mais je refuse l'autre. Titano n'a jamais vendu le plaisir qu'il a procuré, et il ne commencera pas par un ami du marquis de Nora. — Nous mettrons-nous en chasse bien loin d'ici? repris-je en serrant la main au braconnier pour lui exprimer ma reconnaissance de sa délicatesse. — Vous voyez bien ces trois grands sapins là-bas? — Au penchant de cette montagne grise? — Précisément. Eh bien! quand nous serons arrivés là, nous pourrons armer nos fusils, car nous ne tarderons pas à être dans le cas de nous en servir. — Mais je ne vois pas de couvert dans le lieu que vous m'indiquez. Où diable le gibier peut-il se cacher? — Vous n'apercevez pas de couvert, Excellence, et cependant il y en a un dont vous aurez assez de peine à arracher vos jambes quand vous y serez. Ce qui vous paraît gris d'ici est vert foncé. Toute cette montagne est couverte de *nerprun*, petit arbrisseau épineux qui porte des fruits dont les coqs de bruyère sont très-friands; mais il est possible que vos chiens ne se soucient pas d'entrer là dedans. Au surplus Torquato fera le service pour tout le monde. N'est-ce pas, mon vieux, continua le braconnier en posant sa large main osseuse sur la tête de son magnifique épagneul; n'est-ce pas que tu travailleras bien aujourd'hui?

Torquato arrêta sur son maître un regard rempli d'intelligence et d'affection, qu'on pouvait prendre pour une promesse.

En ce moment, le marquis de Nora vint nous joindre, et, comme tous les gens en retard, il demanda pourquoi on ne partait pas, et comment le déjeuner n'était point encore prêt.

— Excellence, il le sera dans cinq minutes, répondit Titano; mais tout à l'heure, vous voyant si bien dormir, je n'ai pas voulu faire de bruit, de peur de vous déranger. Promenez-vous là un moment, pour vous aiguiser l'appétit, et bientôt je vous enverrai mon domestique pour vous prévenir que le déjeuner est servi.

Et ayant dit ces mots, Titano s'éloigna, suivi de son fidèle compagnon l'épagneul.

— Eh bien! que penses-tu de mon vieil original? fit Stephano en suivant d'un regard affectueux le braconnier qui rentrait chez lui. — Que je ne regretterais pas d'être venu ici, alors même que nous ne devrions rien tuer aujourd'hui: cet homme est un des meilleurs types que j'aie jamais rencontrés. — Bah! tu ne le connais pas encore! — Il me reste à juger de sa vigueur et de son adresse; mais comme je m'en fais une très-haute idée, il me semble que c'est absolument comme si je les connaissais. — Elles surpassent tout ce que tu peux te figurer dans ce genre. — Je m'attends à l'impossible. — Alors tu approcheras peut-être de la vérité... mais ce n'est pas encore ce qu'il y a de plus extraordinaire en lui... — J'ai eu hier un échantillon de ses talents comme contrebandier, interrompis-je. — Ce n'est pas cela non plus. — Ma foi, je ne devine pas. — Eh bien! Titano, qui est ce qu'on peut appeler pauvre, est d'une charité et d'un désintéressement prodigieux. Croirais-tu bien que, depuis dix ans que je viens chez lui, je n'ai jamais pu lui faire accepter la plus petite somme d'argent pour l'indemniser de la dépense que je lui occasionne, et il m'a fallu employer toutes sortes de ruses pour le déterminer à recevoir un fusil que j'ai fait faire exprès pour lui à Londres, chez le fameux Manton. — Ce que tu m'apprends là ne me surprend pas le moins du monde, répondis-je.

Et je racontai à Stephano le refus que m'avait fait le vieux braconnier d'une récompense de deux louis, s'il me mettait à même de tuer un chamois.

— Toujours le même! dit le marquis. Quel dommage qu'il ait cette funeste passion de la contrebande! mais il m'a promis que passé aujourd'hui... — Et tu comptes sur sa parole? — S'il y manquait, ce serait la première fois.

Comme le marquis prononçait ces mots, nous vîmes Torquato sortir en gambadant de la cabane et venir à nous au petit galop: il portait dans sa gueule quelque chose que je ne reconnus pas d'abord.

— Allons déjeuner, me dit Stephano: nous sommes servis. — Comment le sais-tu? — Regarde ce chien. — Je l'ai vu. — Il accourt nous avertir: c'est le maître d'hôtel de Titano: seulement comme il ne pouvait venir la serviette sous le bras, il la porte entre ses dents. — C'est, ma foi, vrai! m'écriai-je.

Et prenant le bras de Stephano, nous nous dirigeâmes vers la cabane, précédés par le chien, qui s'arrêta à la porte pour nous laisser passer, en serviteur bien appris qu'il était.

—Mais c'est qu'il ne manque à rien! repris-je de plus en plus émerveillé. —Tu en verras bien d'autres.

Nous nous mîmes à table et nous commençâmes à fonctionner avec un appétit que je souhaite à tous les abonnés du *Journal des Chasseurs*.

Le déjeuner était bon et copieux, le vin parfait; le pain seul était noir et dur: la contrebande ne le fournissait pas.

— Ah mon Dieu! Excellence, j'ai oublié votre caviar! s'écria Titano. Je suis sûr cependant qu'il est arrivé; mais ce sera l'affaire de quelques minutes.

Et le vieux braconnier se leva.

Le chien, qui était assis, les yeux fixés sur son maître, se leva aussi.

Je compris que quelque chose d'extraordinaire allait se passer, et je posai ma fourchette pour suivre avec plus d'attention tous les mouvements de l'épagneul et de son maître.

Ce dernier ouvrit une espèce d'ancien bahut, et il en tira un petit baril allongé, dans le genre de ceux dont les Marseillais se servent pour renfermer leurs anchois marinés. Ce baril était vide et défoncé par un bout.

Titano le présenta au chien qui y introduisit son museau en aspirant bruyamment à deux ou trois reprises.

Le baril fut remis dans le bahut, et le vieux braconnier revint prendre sa place à table, après avoir montré la porte à Torquato qui sortit en courant.

J'échangeai un rapide regard avec le marquis, mais nous ne fîmes aucune réflexion.

Titano avait l'air parfaitement tranquille sur les suites de l'événement.

L'absence de l'épagneul dura un peu plus d'un demi-quart d'heure.

J'étais convaincu que nous le verrions revenir apportant un baril de caviar dans sa gueule.

Il arriva, mais il n'apportait rien.

Titano lui adressa quelques mots en patois piémontais.

Le chien se laissa tomber sur le carreau comme la veille, et il fit semblant de dormir.

Le vieux braconnier se leva, et d'un geste il sembla nous inviter à en faire autant.

En un clin d'œil nous fûmes debout.

Titano se dirigea vers un des coins de la cabane où nous le suivîmes.

Arrivé contre le mur, il poussa de droite à gauche un petit morceau de bois qui avait la forme et la dimension d'un verrou ordinaire.

J'aperçus alors une ouverture de la grandeur à peu près d'une carte de visite.

Titano y appliqua son œil comme il eût fait au verre d'une lorgnette.

Il se retira au bout d'une demi-minute environ, en me disant:

—Mettez-vous là, Excellence, et regardez tout droit devant vous. —J'y suis. —Que voyez-vous, Excellence? —Des montagnes, des montagnes, et toujours des montagnes. —Ne jetez pas les yeux si loin. —Ah! j'aperçois une femme qui file appuyée contre une grosse roche grise, et deux chèvres qui broutent à quelque distance. —Vous y êtes. —Cela n'est pas bien curieux: la femme est vieille et les chèvres sont maigres et pelées. —Eh bien! Excellence, cette roche grise masque une petite cachette dans laquelle se trouve le caviar que j'avais envoyé chercher par mon chien. —Et pourquoi ne l'a-t-il pas apporté? —Parce que cette vieille sorcière est apostée là par les douaniers pour nous surveiller, moi et mon pauvre chien; et Torquato s'en étant douté, il est revenu la gueule vide. —Ceci me semble impossible! m'écriai-je. — En voulez-vous la preuve à l'instant même? cela ne sera pas bien long. —Si je la veux! mais sans aucun doute... Que dois-je faire pour l'acquérir? —Rester provisoirement là où vous êtes, et suivre avec attention tous les mouvements de la vieille femme jusqu'à ce que je vous fasse signe d'aller sur la porte.

Je remis mon œil à la petite lucarne, et Titano recommença à adresser quelques mots en patois à son chien qui repartit à toutes jambes, mais cette fois en aboyant.

Au second coup de voix, je vis la vieille femme tourner vivement la tête du côté de notre cabane, qu'elle ne paraissait pas observer auparavant, puis elle quitta sa place en chassant ses chèvres devant elle, et elle prit un sentier qui se rapprochait de nous.

Titano et le marquis étaient sur la porte: le premier m'appela à voix basse.

Quand j'arrivai près d'eux, la vieille femme et ses chèvres passaient à dix pas de la cabane, un peu sur la gauche. Le sentier qu'elles suivaient menait au fond de la vallée dont j'ai parlé.

Torquato, toujours aboyant, était déjà au fond de la vallée; il courait à droite et à gauche comme un jeune chien poursuivant des alouettes qui se lèvent devant lui les unes après les autres.

Comme le sentier descendait presque à pic à peu de distance de la cabane à l'entrée de laquelle nous étions placés, nous perdîmes bientôt de vue la vieille femme et les deux chèvres.

Quelques minutes s'écoulèrent: Torquato disparut aussi.

J'ai dit que la vallée était traversée dans toute sa longueur par une petite rivière. Cette petite rivière coulait assez encaissée entre des plantations d'aulnes et de saules.

C'était derrière ces plantations que Torquato s'était éclipsé comme un acteur qui passe derrière la coulisse.

—L'affaire est aux trois quarts faite, Excellence, me dit Titano. Maintenant, si vous voulez en voir la conclusion, allez vous replacer à mon petit *judas* et regardez bien sur votre droite. Vous ne tarderez pas à voir quelqu'un de votre connaissance.

Je n'eus garde de dédaigner cet avertissement, et pendant que le marquis et Titano se remettaient à table, moi je collais de nouveau mon œil sur la lucarne, dirigeant mon regard vers la droite de la roche grise.

Il n'y avait pas deux minutes que j'étais là, quand je vis Torquato accourir à toutes jambes.

—Le voilà! le voilà! dis-je à voix basse à Titano. Au train dont il va, un lévrier aurait de la peine à le suivre.—Ne le perdez pas de vue, Excellence, et dites-nous bien ce qu'il fait.—Je ne le vois plus... il a disparu de nouveau derrière ce rocher... Ah! le voici encore! il revient de notre côté! Sur mon honneur, il apporte un petit baril tout semblable à celui que vous lui avez montré!—C'est le caviar de Son Excellence le marquis! s'écria Titano enchanté de la nouvelle que je lui donnais.

J'en étais sûr, du reste. Ah! mes drôles, vous êtes bien malins, mais Torquato, qui n'est pourtant qu'une bête, en sait encore plus long que vous!

En ce moment, le bel épagneul entrait et déposait aux pieds de son maître le petit baril qu'il portait dans sa gueule. Il était magnifique dans son triomphe.

—C'est merveilleux! incompréhensible! m'écriai-je. Mais comment diable cela s'est-il fait?—Comme vous avez vu, Excellence, répondit le vieux braconnier. Torquato, la première fois qu'il est sorti, a aperçu la vieille sorcière; il l'a flairée, puis il est revenu m'apprendre qu'on l'espionnait; alors je l'ai envoyé courir au fond de la vallée, bien sûr qu'on l'y suivrait, ce qui n'a pas manqué d'arriver. Quand il a jugé que la vieille était assez bas dans le sentier pour qu'elle ne pût plus remonter avant lui, il s'est coulé le long des saules qui bordent la rivière jusqu'à un autre sentier creux qui se trouve à trois ou quatre cents pas d'ici, et il a regagné les rochers par cette route. La vieille, j'en mettrais ma main au feu, le cherche encore là-bas. Tenez, Excellence, ajouta-t-il, la voyez-vous dans les buissons avec ses deux chèvres? Le bon de l'histoire, c'est qu'elle va dire que mon dépôt de comestibles est sous la berge de la rivière. Ça va les occuper pendant huit jours.

Et Titano se mit à rire aux éclats, tout en débouchant le baril de caviar; et après m'avoir montré, par la porte toujours ouverte de sa cabane, la vieille femme qui explorait sans trop de précautions les buissons qui croissaient au bord de l'eau, dans le fond de la vallée, il reprit:

—Je serais sûr maintenant d'attraper Carlo Volenti comme j'attrapais le vieux Broschi. Mais...—Mais... tu sais ce que tu m'as promis, interrompit le marquis de Nora avec une sévérité affectueuse.—Oui, Excellence, je le sais, et vous pouvez compter sur ma parole comme si le notaire y avait passé, répondit Titano en posant la main sur son cœur. Comme je vous le disais hier, je me suis engagé à donner un coup de main ce soir, mais ce sera pour la dernière fois. Cette nuit je débarrasserai complétement mon magasin du dehors, et demain je leur ferai savoir à Pignerol qu'ils ne doivent plus compter sur moi. Vous avez raison, Excellence, ce n'est pas là un métier pour un vieux soldat.—S'il m'était permis de vous donner aussi un avis, mon bon Titano, repris-je à mon tour, je vous engagerais à vous défier du hibou, ce soir. J'ai cru remarquer pendant qu'il chantait hier, que le brigadier Volenti l'écoutait avec plus d'attention qu'il n'aurait dû en accorder à une circonstance aussi peu importante: il est sur ses gardes. — J'ai aussi vu cela, Excellence; mais soyez tranquille, nous ne faisons jamais chanter le même oiseau deux jours de suite, et Torquato connaît tous les ramages. Comme il va s'ennuyer pendant les longues soirées d'hiver, mon pauvre chien! ajouta Titano en baissant la voix comme s'il se parlait à lui-même... C'est égal, j'ai promis et je serai fidèle à mon serment.

Et en prononçant ces derniers mots, le vieux braconnier poussa un gros soupir et caressa mélancoliquement la tête de son magnifique épagneul.

Quelques minutes après nous quittions la table, et un quart d'heure ne s'était pas écoulé, que nous sortions de la cabane, armés, équipés et précédés de nos chiens, que Torquato avait accueillis avec cette bienveillance digne qui est le caractère distinctif des êtres vraiment supérieurs.

Nous avions à peu près un quart de lieue à faire avant de nous mettre en chasse, et cette faible distance fut encore raccourcie par l'intérêt que je prenais à la conversation de Titano: le digne braconnier, comme tous ses pareils, était bavard, mais je ne le trouvais pas ennuyeux.

Durant le trajet, et tout en écoutant les histoires de notre hôte, je l'examinais de tous mes yeux, et je n'eus pas de peine à reconnaître que je n'avais jamais vu un être plus extraordinaire. Sa haute taille, sa maigreur, sa décrépitude et son agilité me parurent encore plus prodigieuses que la veille; quoiqu'il marchât en apparence lentement, nous avions de la peine à le suivre, tant il embrassait d'espace à chacune de ses enjambées phénoménales. Son costume n'était pas moins bizarre que sa personne. Il consistait en un vêtement complet d'une seule pièce: guêtres, pantalon, veste, tout se tenait comme ces vêtements que portaient les petits garçons, il y a une quinzaine d'années. Cette espèce d'enveloppe était en basane épaisse couleur de terre, ce qui avait le double avantage de garantir Titano des épines les plus acérées, et de lui permettre, en se couchant sur un sol nu, de dissimuler sa présence comme un lièvre au gîte dans un lieu fraîchement labouré. Une carnassière, assez grande pour pouvoir servir à l'enlèvement d'une jeune fille de quinze ans, pendait au côté gauche de Titano, qui portait sur son épaule droite le fameux fusil de Manton, dont le marquis de Nora lui avait fait présent.

Cette arme était vraiment magnifique, mais nul autre que Titano n'aurait pu s'en servir. Le canon, long de quarante-deux pouces, était de calibre six, et lourd à proportion. J'essayai, chemin faisant, de mettre cette couleuvrine en joue: je ne pus jamais la maintenir assez solidement à mon épaule pour fixer le point de mire sur un objet de dimension ordinaire.

Enfin nous arrivâmes auprès des trois sapins que Titano m'avait montrés le matin, en me disant que c'était là le canton où nous pourrions commencer à nous mettre en chasse: nos chiens, guidés par Torquato, quêtaient déjà depuis quelques minutes.

Le mien était un admirable braque, nommé Soliman, qui a eu une réputation de beauté et d'excellence, longtemps célèbre dans toute la Bourgogne. Sans vouloir déprécier les chiens anglais, pour lesquels j'ai eu depuis des faiblesses dont mon patriotisme s'est souvent indigné, je déclare n'en avoir jamais vu un seul qu'on pût comparer à Soliman. Torquato avait donc trouvé là un émule digne de lui, et ces deux grands génies s'étaient compris en se flairant... Qu'on me cite deux généraux illustres, deux orateurs éloquents, deux poëtes célèbres, capables de s'apprécier aussi vite à l'aide d'un moyen aussi simple. Oh! les chiens valent bien mieux que nous!

Ceci me rappelle un mot charmant de M. Brifaut, l'un des quarante de l'Académie française, comme on dit encore à Bourges et à Carpentras.

Madame la vicomtesse de F***, qui est aujourd'hui une des femmes les plus spirituelles de Paris, était, dans sa toute petite jeunesse, *un enfant terrible*, d'une fécondité de méchancetés naïves à défrayer Gavarni pendant six mois. Elle se trouvait au château du Marais, chez sa tante madame de la Briche, en même temps que l'académicien que je vous ai nommé tout à l'heure.

—M. Brifaut, lui dit-elle, vous avez le nom d'un chien. —Ce que vous dites est parfaitement juste, mademoiselle. —Mais pourquoi avez-vous le nom d'un chien, M. Brifaut? ça n'est pas joli. —Je vais vous le dire, mademoiselle. Autrefois mes ancêtres étaient des chiens, mais ils sont devenus méchants, et, pour les punir, Dieu les a changés en hommes.

Quelle philosophie douce et profonde! et surtout quel magnifique éloge de la race canine!

J'ai dit que nous étions arrivés auprès des trois sapins que Titano m'avait montrés le matin, de sa porte.

Ils étaient plantés au tiers environ de la hauteur d'une montagne assez élevée que nous venions de gravir. Immédiatement derrière eux commençait une espèce de taillis qui n'avait guère que dix-huit pouces à deux pieds de haut, mais qui était si fourré et si épineux qu'une belette un peu délicate aurait hésité à s'y glisser: une seule espèce de plante composait cet inextricable fouillis; c'était un petit arbuste au feuillage sombre et aux baies noires, que Titano m'avait désigné sous le nom de *nerprun*, en ajoutant que les coqs de bruyère étaient très-friands de ses fruits.

Nous armâmes nos fusils et nous fîmes signe à nos chiens d'entrer dans le taillis que Torquato fouillait déjà.

Soliman essaya d'écarter les branches avec son museau. Après plusieurs tentatives, ne pouvant en venir à bout, il prit une résolution héroïque, ce fut de s'élancer en avant par un bond formidable.

Je le vis effectivement disparaître dans les broussailles, mais en même temps, je l'entendis crier comme s'il s'était douloureusement blessé. Toutefois il ne revint pas: alors je me décidai à le suivre en employant le même procédé qui lui avait à peu près réussi.

Je compris la cause de ses gémissements en m'enfonçant à mon tour dans les buissons. Des milliers d'épines, aiguës comme des épingles, m'étaient entrées dans les mollets et dans les genoux. Comme Soliman, je fis belle contenance, et je me mis à marcher droit devant moi. Le marquis côtoyait le taillis sur ma gauche, et Titano, protégé par son vêtement de basane, le battait sur ma droite. A quelques pas en avant de lui, j'apercevais au-dessus des branches la belle et intelligente tête, et la queue en panache de Torquato. Le noble animal quêtait fièrement comme s'il eût été à son aise dans un carré de luzerne.

—Eh bien! Excellence, me demanda Titano en faisant allusion à notre conversation du matin, pensez-vous qu'il y ait assez de couvert ici pour cacher le gibier? — Je pense que si celui qui y est a autant de peine à en sortir que j'en ai eu à y entrer, nous ne brûlerons pas beaucoup de poudre tant que nous serons dans ce fagot d'épines. — En attendant, prenez garde à vous: Torquato vient de tomber en arrêt... Oh! vous n'avez pas besoin de vous presser, il ne bougera pas.

On comprend qu'au premier avertissement du vieux braconnier je m'étais porté en avant avec résolution, malgré les épines qui me lardaient impitoyablement les jambes.

J'arrivai ainsi à dix pas environ de l'épagneul, et je vis avec une indicible satisfaction que Soliman était à son côté, et en arrêt comme lui: tous deux se trouvaient en ce moment dans une petite éclaircie, ce qui me permit d'admirer la beauté de leurs poses, également magnifiques quoique dissemblables.

Torquato, que le gibier avait surpris, était légèrement replié sur ses jarrets. Il avait la tête haute, le cou tendu, la prunelle ardente et fixe comme un charbon; sa queue, relevée en arc sur son rein, me parut ferme comme si elle eût été coulée en bronze.

Soliman, qui n'était tombé en arrêt que par imitation, avait pris ses aises. Couché sur le ventre, le museau allongé sur ses pattes de devant, on l'aurait cru endormi, sans les éclairs qui jaillissaient de ses yeux fauves, et sans le frémissement de son nez rosé qui cherchait à se rendre compte du fumet d'un gibier tout nouveau pour lui.

Titano m'avait rejoint: le marquis, toujours sur la lisière du taillis et à vingt-cinq pas environ en avant de nous, était aussi dans une excellente position pour tirer.

Titano fit un signe.

L'épagneul allongea encore le cou, puis il promena sa tête de droite à gauche en l'inclinant à diverses reprises comme une personne qui salue légèrement.

— Ce sont des coqs de bruyère, me dit Titano à demi-voix, il y en a sept: Torquato vient de les compter.

Je n'eus pas le temps de demander l'explication de ces paroles, car elles étaient à peine prononcées, que les coqs de bruyère se levaient lourdement entre nos deux chiens: ils étaient au nombre de sept, ainsi que l'avait dit le vieux braconnier. Je jetai mes deux coups de fusil, un peu au hasard, je dois le dire, et j'eus le bonheur de voir tomber le chef de la bande et un jeune coq.

—Bravo! Excellence! me cria Titano.

Et en même temps la double détonation de sa couleuvrine se fit entendre, mais avec un intervalle de quelques secondes entre chacune d'elles. A la première je m'étais retourné et j'avais vu tomber la poule-mère: la seconde venait d'abattre deux jeunes coqs qui se croisaient à une distance déjà considérable.

Des deux qui restaient, l'un passa à portée du marquis: il eut le même sort que cinq de ses compagnons.

C'était débuter d'une manière brillante, on en conviendra. J'étais ravi! transporté! je le fus bien plus encore quand je vis Soliman déposer à mes pieds le premier des deux oiseaux que j'avais tués: c'était le vieux coq.

Il appartenait à la plus grande espèce de ces gallinacés sauvages, et sa beauté surpassait tout ce que je m'étais imaginé de l'élégance et de la grosseur de ce gibier, dont on me parlait sans cesse depuis mon arrivée en Piémont. Son plumage, d'un noir bleu irisé de violet et de vert, avait des reflets et des chatoiements d'une richesse sans pareille. Une membrane, d'un magnifique écarlate, entourait ses yeux, son bec et remontait en crête sur son large crâne; deux bandes, d'une blancheur éblouissante, coupaient transversalement ses ailes; et sa queue, séparée en deux, de manière à former la fourche, lui donnait des proportions vraiment gigantesques. Quand je le soulevai, je fus aussi confondu de sa pesanteur; enfin, je ne pouvais me lasser de l'admirer et de remercier Titano à qui je devais ce superbe coup de fusil.

Tandis que nous rechargions nos armes, je demandai au vieux braconnier si c'était au hasard qu'il m'avait annoncé sept coqs de bruyère pendant que nos chiens étaient en arrêt.

—Non, Excellence. C'est l'habitude de Torquato, quand le gibier à plume tient bien, de faire un mouvement de tête pour chaque oiseau qui est sous son nez, et il ne se trompe pas une fois sur dix. —De plus fort en plus fort, répondis-je: mais où est-il donc votre merveilleux chien?—Il cherche la poule qui n'est, je crois, que démontée. Marchons toujours, il nous retrouvera bien.

Nous fîmes une centaine de pas, précédés par Soliman qui croisait devant nous sans se soucier des épines. Le courageux animal était cependant tout moucheté de petites taches roses qui attestaient ses nombreuses blessures.

—Ah! voilà votre chien, dis-je à Titano.

Je venais d'apercevoir l'épagneul, immobile derrière une grosse touffe de genévrier.

—Il doit être en arrêt puisqu'il n'est pas devant moi, me répondit le vieux braconnier.—C'est impossible, repris-je. Il tient votre poule dans sa gueule. Il a l'air d'écouter pour savoir si vous l'appelez.—Torquato écouter! Torquato croire que je l'appelle! Excellence, c'est impossible. Je vous dis qu'il est en arrêt.

Je fis le tour de la touffe de genévrier, et je vis l'épagneul en plein corps: il était effectivement en arrêt et dans une pose magnifique.

—Vous avez raison, criai-je à Titano.—A-t-il la queue droite ou relevée?—Droite.—Alors ce sont des perdrix ou des gélinottes. Préparez-vous toujours à tirer.

Une compagnie de gélinottes se leva en effet; mais je ne mis pas même en joue: il me sembla qu'elles étaient hors de portée.

—Eh bien! à quoi pensez-vous, Excellence?—C'est trop loin.—Bah! fit Titano en portant la crosse de son fusil à son épaule.

Les deux coups partirent, et deux gélinottes tombèrent, littéralement fracassées comme des cailles qu'on tire en primeur. Je comptai la distance. C'était fabuleux, il y avait cent vingt-sept pas.

Le départ bruyant du gibier, les deux coups de fusil, rien n'avait troublé Torquato. Après la double détonation, il vint poser sa poule devant son maître, puis il courut à la recherche des deux gélinottes qu'il rapporta l'une après l'autre.

Nous passâmes quatre heures dans ce taillis, et quand nous en sortîmes, nous avions trente-trois pièces de gibier, à savoir: quinze coqs de bruyère, huit gélinottes et dix perdreaux rouges.

Titano m'avait galamment permis d'être le roi. J'avais pour ma part quatorze pièces, et Soliman s'était montré le digne émule de Torquato.

Le marquis nous avait rejoints depuis longtemps, et nous nous assîmes au bord d'une petite source ombragée par un groupe de bouleaux et de saules.

—Il est maintenant onze heures à peu près, nous dit Titano. Reposez-vous jusqu'à midi, Excellences. Pendant ce temps-là, j'irai jusque chez moi déposer toute cette volaille qui nous gênerait un peu dans l'expédition que nous avons encore à faire, et à mon retour nous nous remettrons en campagne.—Pourquoi prendre toute cette peine? dis-je à Titano; il vaudrait bien mieux, ce me semble, cacher dans quelque buisson notre gibier que nous retrouverions ce soir.—J'ai besoin de retourner à la maison, reprit le vieux braconnier, et puisqu'il est sage que vous preniez quelques instants de repos, autant vaut que j'en profite pour aller à mes affaires. Avant une heure, je serai certainement revenu.

Et tout en parlant, Titano mettait l'une après l'autre nos trente-trois pièces de gibier dans son immense carnassière, en commençant par les plus lourdes.

Quand le sac qu'il avait posé à terre pour le remplir eut englouti le dernier perdreau dans ses vastes profondeurs, j'essayai de le soulever.

J'y parvins, mais ce fut tout ce que je pus faire en employant toute ma force, et je le laissai aussitôt retomber.

—Et vous allez porter cela? demandai-je à Titano.

Il me regarda d'un air goguenard, et prenant la carnassière d'une seule main, il la fit tournoyer comme si c'eût été le sac d'une petite pensionnaire, et il la posa sur son épaule qui reçut ce poids énorme sans fléchir.

—Laisse-nous du moins ton fusil, lui dit alors le marquis.—Et si je trouve quelque bon coup à faire en chemin, Excellence?—Tu ne le feras pas.—Mais que dira Torquato? je ne veux pas que mon chien puisse croire que je baisse. Au revoir, Excellences.

Et il partit d'un pas aussi léger que s'il n'avait eu que vingt ans et qu'il n'eût rien porté.

Nous le suivîmes des yeux jusqu'à ce que l'inclinaison du terrain nous l'eût caché; puis nous le revîmes, quelques instants après, traverser la vallée, gravir la pente opposée, et enfin entrer dans sa cabane, dont il ferma la porte derrière lui. Il paraît qu'il ne trouva pas de gibier chemin faisant, car nous ne l'entendîmes pas tirer.

— Quel homme extraordinaire! dis-je à Stephano. — C'est vrai qu'il n'a pas son pareil: mais je mettrais ma main au feu que ce n'est pas pour se débarrasser de notre gibier, qu'il pouvait très-bien cacher par ici, comme tu le lui as conseillé, qu'il est retourné chez lui. — Et que supposes-tu qui l'occupe? — Toujours sa maudite contrebande. Quelque avis à recevoir ou quelque signal à donner. Tiens, regarde! continua le marquis. — Quoi? — Comment, tu ne vois rien? — Non, sa porte est toujours fermée. — Examine le toit. — Eh bien! — Cette fumée épaisse... — Tu as pardieu raison! Le pauvre homme ne se corrigera jamais, et je considère la promesse qu'il t'a faite comme un serment d'ivrogne. — Je commence à le craindre aussi.

En ce moment, le bruit d'un pas retentit derrière nous; nous nous retournâmes et nous aperçûmes le brigadier Volenti qui s'avançait la carabine sur l'épaule.

— Eh bien! Excellence, avez-vous fait bonne chasse? demanda-t-il au marquis en le saluant militairement. — Si bonne, répondit Stephano, que nous avons été obligés d'envoyer Titano jusque chez lui pour nous débarrasser de notre gibier. — Il paraît qu'il le fait déjà cuire, si j'en juge par la fumée qui sort de sa cheminée, reprit le brigadier. — Il en est bien capable, répliqua le marquis froidement. — Vous vous intéressez à lui, n'est-ce pas, Excellence? — Sans aucun doute. — Alors conseillez-lui donc de renoncer à la contrebande! tout cela finira mal pour lui. J'ai les ordres les plus sévères à son sujet, et si malin qu'il soit, je le prendrai un jour en flagrant délit. — Vous l'avez averti hier: le reste vous regarde tous les deux. Toutefois j'ai lieu de croire qu'il ne s'exposera plus. — Et il fera bien. Excellence, avez-vous quelques ordres à faire transmettre à vos gens que vous avez laissés à la Croce-Bianca à Pignerol? J'y retourne de ce pas. — Je vous remercie, brigadier.

Volenti renouvela son salut militaire, puis il s'éloigna. En ce moment Titano sortait de sa cabane, et il s'avançait vers nous à grands pas.

Vingt-cinq minutes après, il nous rejoignait. Son absence n'avait pas duré en tout trois quarts d'heure.

Stephano lui conta ce qui s'était passé, en insistant sur la remarque de Volenti au sujet de la fumée.

— Le drôle en sait long, répondit Titano en secouant la tête comme un homme contrarié; mais puisqu'il retourne à Pignerol ce soir, je n'ai rien à craindre pour cette nuit; et demain, vous savez, Excellence... — Prends-y garde, interrompit le marquis; il est capable d'avoir dit qu'il s'en allait, pour que je te le répète, et t'inspirer par ce moyen une fausse sécurité. A ta place, je me tiendrais tranquille ce soir. — Excellence, c'est impossible. J'ai donné ma parole, et si j'y manquais vous seriez en droit de douter à votre tour de la promesse que j'ai faite. Ce serait bien le diable si j'étais pris dans ma dernière expédition. — Enfin les avertissements ne t'auront pas manqué. Maintenant en route, mes amis: il ne nous reste plus que six heures de jour, il faut en profiter. Où vas-tu nous conduire? — J'ai promis à Son Excellence le marquis français de lui montrer des perdrix blanches et un chamois. Pour cela il faut gagner les hauteurs de Bricherasco. — Alors nous n'avons pas une minute à perdre.

Titano nous avait apporté une gourde remplie d'excellent ratafia de Grenoble. Nous en avalâmes quelques gorgées, puis nous partîmes remplis d'une ardeur nouvelle. Nos chiens galopaient devant nous avec une légèreté qui nous fit supposer que nous pouvions compter sur eux.

Après une heure de marche environ, pendant laquelle nous ne cessâmes pas un seul instant de monter, nous atteignîmes un point des hauteurs qui se dressaient devant nous, où régnait un brouillard d'une opacité telle, que nous fûmes obligés de nous tenir à trois pas les uns des autres pour ne pas nous perdre de vue. Le changement de la température avait été aussi brusque et aussi complet que celui de la lumière, et je sentais se glacer sur mon visage la transpiration bienfaisante que notre course ascensionnelle et non interrompue avait provoquée chez moi. Si j'avais eu un tout autre guide que Titano, je n'aurais, à coup sûr, pas manqué de lui demander ce que des chasseurs pouvaient faire au milieu de cette brume épaisse; mais ma confiance dans le vieux braconnier était si grande, qu'il ne me vint même pas à l'esprit la plus petite inquiétude sur le résultat de notre entreprise. Une chose cependant aurait dû au moins m'étonner: Torquato, à dater du moment où nous étions entrés dans les ténèbres visibles qui nous environnaient de toutes parts, avait cessé sa quête, et il était venu se mettre sur les talons de son maître, comme un animal intelligent qui ne prend jamais une fatigue inutile. Soliman avait suivi cet exemple au bout de quelques minutes; quant au chien du marquis, croyant sans doute la chasse finie, il avait déserté sans cérémonie.

Le sol sur lequel nous marchions était une espèce de terreau noirâtre, parsemé çà et là de touffes de mousses et de lichens d'un vert sombre et d'un aspect misérable. Bientôt quelques lignes blanches vinrent couper de distance en distance cette triste surface: je compris alors que nous ne tarderions pas à arriver à la région des neiges, dont Titano m'avait parlé.

En effet, le brouillard s'éclaircit un peu, et j'aperçus d'abord le disque rougeâtre du soleil, qui semblait nager dans des flots de vapeurs à demi lumineuses. En même temps, mes pieds foulèrent une neige de quelques centimètres d'épaisseur, et molle comme du coton fraîchement cardé. Peu à peu ce tapis éblouissant acquit plus de solidité, et enfin nous sortîmes de la brume aussi brusquement que nous y étions entrés.

Un magnifique spectacle s'offrit alors à ma vue, et me fit pousser un cri de surprise et d'admiration. Nous avions atteint le point culminant des hauteurs que nous venions d'escalader, et nous nous trouvions sur le bord des versants opposés. Tout était neige et glace autour de nous, aussi loin que nos yeux éblouis pouvaient étendre leurs regards. Un ciel d'un bleu sombre, dont la splendeur était sans pareille, étincelait au-dessus de nos têtes. J'y aurais vainement cherché un nuage de la grosseur d'un papillon. Aucune description ne pourrait donner une idée exacte de l'éclatante beauté du soleil, roulant dans ce vide d'une teinte si riche et si nouvelle pour moi. Les rayons qu'il dardait obliquement, car il commençait à descendre vers l'horizon, coloraient de teintes merveilleuses tous les objets qu'ils frappaient. Sous leur magique clarté, la neige chatoyait comme l'opale, les glaciers brillaient comme l'émeraude et le saphir. Les pins, les houx et les genévriers, qui croissaient de distance en distance, étaient couverts d'un givre qu'on eût pris pour une broderie de perles et de diamants. Un silence imposant régnait sur ces magnificences, et ajoutait sa majesté à leur éclat: je n'avais de ma vie vu ni rêvé rien de semblable.

Titano, à qui ces richesses étaient familières, ne s'étonna pas de mon admiration, mais il me sembla qu'il en était charmé. A la satisfaction qu'exprimait sa physionomie, d'un grotesque si intelligent, on eût dit un châtelain qui fait les honneurs de son parc à quelque visiteur étranger, et je fus si bien dupe de cette apparence, que je me crus obligé d'adresser un petit compliment à ce digne homme.

— Eh bien! Excellence, ce que vous me dites là me flatte, me répondit-il en accompagnant ces paroles de la plus spirituelle de ses grimaces, je suis un peu ici comme chez moi, car il n'y a guère que moi qui y vienne, ajouta-t-il. Maintenant, faisons encore chacun une petite caresse à cette bouteille de vieux ratafia, et remettons-nous en campagne. Voilà Torquato qui porte le nez au vent: nous n'irons pas loin sans voir voler quelque chose.

Nous nous mîmes en ligne, à trente-cinq ou quarante pas, à peu près, les uns des autres, Titano occupant le milieu, et nous commençâmes à battre le terrain devant nous, comme nous aurions fait d'un champ d'avoine ou d'un carré de luzerne.

La neige que nous foulions était vierge de toute empreinte de pied humain; mais elle portait des traces assez nombreuses d'oiseaux, parmi lesquelles il ne me fut pas difficile de reconnaître quelques frayés de perdrix.

Titano, qui les avait remarqués en même temps que moi, me fit un signe d'intelligence; presque au même instant, Soliman tomba en arrêt, ce qui ne laissa pas que de me flatter infiniment, d'autant plus que Torquato vint se placer immédiatement à côté de lui.

Comme c'était devant moi que la chose se passait, mes compagnons se rapprochèrent, et nous entourâmes les deux chiens qui portaient la tête inclinée de côté, de manière à faire supposer que le gibier était sous leur nez.

Titano fit comme les chiens, et ses yeux perçants prirent la direction des leurs.

— Je les aperçois, Excellence! me dit-il vivement après un examen de quelques secondes: elles sont exactement sous le nez de votre chien, il ne tiendrait qu'à lui d'en*gueuler* une. Allons! allons! je vois qu'il est sage. — Moi, je ne vois rien, dis-je à Titano après avoir regardé à mon tour. — Avancez encore un peu... encore... là, très-bien; arrêtez-vous maintenant. En voilà une dont l'aile vient de frissonner; elles ne tarderont pas à partir... deux, quatre, cinq, six, huit... il y en a neuf ou dix, Excellence. Eh bien! les voyez-vous? — Non; et toi? demandai-je à Stephano. — Moi, je distingue un petit boursouflement, comme si le vent avait poussé un peu plus de neige en cet endroit: ce doit être ça, me répondit le marquis de Nora. — Précisément, Excellence. Préparez vous maintenant! s'écria Titano.

J'entendis comme un bruit d'ailes et une sorte de chant plaintif; puis, je vis entre les deux chiens, qui avaient relevé la tête brusquement, un petit rond noir que je reconnus évidemment pour l'endroit où les perdrix s'étaient blotties, et où elles avaient fait fondre la neige.

Je regardai en l'air; rien; je jetai rapidement la vue devant moi: rien non plus; cela tenait du prodige.

— Eh bien! Excellence, vous ne tirez donc pas? me demanda Titano en portant son arme à son épaule. — Tirer! quoi? je ne vois rien. — Alors...

Deux effroyables détonations, répercutées aussitôt par des milliers d'échos, retentirent à mes oreilles, se prolongèrent pendant un espace de temps dont il me fut impossible d'apprécier la durée, et se terminèrent par des grondements sourds et toujours plus lointains, semblables à ceux de la foudre quand un orage s'éloigne.

Quand je fus un peu remis de ma surprise, je vis nos deux chiens qui revenaient à nous: Torquato alla à son maître, Soliman s'approcha de moi.

Chacun d'eux rapportait une perdrix.

Je pris celle que Soliman me présentait, et je l'examinai avec une curiosité que tous les véritables chasseurs comprendront, j'en suis sûr.

C'était bien la plus ravissante petite créature de la terre. Le grain de plomb, qui l'avait atteinte sous l'aile, ne l'avait pas endommagée le moins du monde, et on l'aurait crue plutôt endormie que morte. En admirant la blancheur merveilleuse de son plumage, je commençai à m'expliquer comment il avait pu se confondre avec la neige dont nous étions entourés, et je ne fus plus étonné que de la finesse de vue du braconnier. Cette perdrix était d'un tiers environ moins grosse que notre perdrix grise ordinaire, mais elle en avait toutes les formes, avec plus de finesse et d'élégance. Ses pieds étaient noirs, armés d'ongles courts d'un gris rosé. Le bec, de même couleur, se rapprochait, quant à la conformation, de celui de la tourterelle, et l'iris de l'œil était d'un brun cannelle un peu clair; un petit cercle rose vif bordait les paupières.

Titano me dit que c'était la chanterelle; il me fit voir en même temps l'autre bête, qu'il m'assura être un mâle: il était plus gros, et ses pieds avaient des ergots.

— Mais comment diable avez-vous fait pour exécuter ce coup double? demandai-je à Titano; moi je déclare, sur l'honneur; n'avoir rien vu voler. — Quelque chose a volé, cependant, me répondit-il en goguenardant, puisque quelque chose ne vole plus.

Il n'y avait rien de plus logique que ce raisonnement, mais il ne répondait pas à ma question, que je m'empressai de renouveler.

— Voyez-vous, Excellence, l'air est d'une si grande pureté par ici, qu'avec un peu d'attention on y peut découvrir la plus faible vapeur qui le traverse. Tenez, par exemple, regardez ce corbeau qui passe là-bas. — Eh bien? — Ne remarquez-vous rien de particulier en lui? — Rien absolument. — Examinez mieux. — J'y mets une telle attention que mes yeux en pleurent... Ah! attendez un moment! je ne sais si c'est un effet de ma vue fatiguée, mais il me semble voir une petite traînée de fumée grise derrière cette bête. — C'est cela même, Excellence; et c'est de cette manière que mon œil suit les perdrix blanches. Cette petite traînée de fumée est produite par la chaleur qui s'exhale du corps de tout animal, et comme l'air est très-pur à cette hauteur, cela fait que.... ma foi, M. le curé de Pignerol me l'a bien expliqué, mais je l'ai oublié. — Je comprends à peu près, dis-je à Titano; seulement, jamais je ne distinguerai assez bien cette fumée pour tirer juste; aussi, je suis tenté d'attribuer au hasard le coup double que vous avez fait. — Eh bien! je recommencerai tout à l'heure, Excellence. Combien faudra-t-il encore de hasards pour vous convaincre que je vous dis la vérité? — Un seul. — Alors, en route! reprit Titano qui, pendant ce petit colloque, avait rechargé son arme.

Nous nous remîmes en marche, et nos chiens se remirent en quête.

Après un quart d'heure environ de recherches, toujours cheminant droit devant nous, Soliman, qui galopait sur ma gauche, se retourna brusquement, puis resta immobile, le corps plié, comme s'il eût été pétrifié dans la position qu'il avait prise. Il était en arrêt, et le gibier l'avait surpris.

Je fis un signe au vieux braconnier, qui s'empressa de venir à moi.

— Allons, *signor marchese*, me dit-il, ouvrez bien les yeux et rappelez-vous ce que je vous ai dit tout à l'heure: il ne faut qu'un peu d'habitude: si vous manquez, je tirerai tout de suite après vous, pour faire mon second hasard; vous savez bien?...

Une courte description des localités est indispensable pour bien faire comprendre ce qui va suivre.

L'endroit où Soliman venait de tomber en arrêt était couvert de neige comme celui où Titano avait fait son coup double peu d'instants auparavant; mais à une quarantaine de pas environ au delà du chien, et, par conséquent, dans la direction que le gibier qui devait se lever prendrait sans doute, commençait une sorte de glacier de peu de largeur, dont la surface bleuâtre tranchait d'une manière assez marquante sur la nappe d'une éblouissante blancheur qui l'environnait de toutes parts: j'avais remarqué ce petit accident pittoresque, sans me douter le moins du monde de l'utilité que je pourrais en tirer.

Comme la première fois encore, je regardai sous le nez de mon chien, mais je ne pus rien voir, bien que Titano et même le marquis m'assurassent qu'ils distinguaient parfaitement cinq ou six perdrix les unes à côté des autres.

Le bruit d'ailes et le chant plaintif m'avertirent qu'elles étaient parties.

Je mis en joue devant moi, dans l'espoir de découvrir les petites vapeurs grises et de faire feu avec une demi-certitude, mais je n'aperçus absolument rien de semblable.

Tout à coup je poussai un cri de joie, immédiatement suivi de la double détonation de mon fusil, et j'eus la satisfaction de pouvoir dire à Soliman: *apporte!*

Voici ce qui s'était passé:

Tant que les pauvres petites perdrix avaient volé en rasant la neige, elles s'étaient confondues en quelque sorte avec elle; mais une fois arrivées au-dessus de l'azur du glacier, elles s'étaient détachées sur ce fond plus sombre qu'elles, comme de petits nuages blancs dans le ciel, et j'avais profité de cette circonstance pour viser rapidement et faire feu: mes deux coups avaient aussi porté.

—Bravo, *signor marchese*! s'écria Titano. Seulement vous pouvez vous flatter d'avoir de la chance; mais, il n'y a rien à dire, c'est tiré en maître.

Je dis à Titano que j'étais très-fier de son approbation, et mis les deux perdrix dans ma carnassière, soin que les chasseurs négligent très-rarement de prendre.

—Maintenant, Excellence, je vous demanderai de vouloir bien charger votre fusil à balle: ça se trouve joliment bien que vous venez de le nettoyer de son plomb. —Ce n'est donc pas une plaisanterie? —Quoi, Excellence? —Ce chamois... —Eh bien! Excellence, je vous demande une demi-heure de grande fatigue encore; mais là ce qui s'appelle de la fatigue; ce ne sera pas de la promenade, la canne à la main, comme nous en avons fait depuis ce matin.

J'avoue, à ma très-grande confusion, que si Titano ne se fût pas souvenu de sa promesse, je ne la lui aurais certainement pas rappelée. Je n'en pouvais plus, et intérieurement j'envoyai de bon cœur le chamois à tous les diables.

Mais ce coquin d'amour-propre, qui m'a fait faire tant de sottises dans ma vie, m'empêcha de convenir que j'aimerais mieux regagner la chaumière de Titano, pour y dormir sur mes lauriers déjà cueillis, que de courir après un nouveau triomphe.

Je poussai l'hypocrisie jusqu'à donner le signal du départ; je fis mieux encore: je me mis à marcher d'un train de poste, ce qui m'attira deux ou trois bonnes goguenardises du vieux braconnier, qui, je dois en convenir, ne fut pas dupe un seul instant de mon faux empressement.

Toutefois, le premier quart d'heure se passa assez bien; mais les difficultés du terrain devenant de moment en moment plus grandes, j'eus bientôt besoin de toute ma force morale pour ne pas prendre le parti de me refuser à aller plus loin.

Titano avait cessé de me décocher ses respectueuses épigrammes, et, pour me faire prendre patience, il me contait d'incroyables traits d'esprit de son épagneul; enfin, me voyant de plus en plus abattu, il me dit:

—Excellence, j'ai deux bonnes nouvelles à vous donner. —Ah! répondis-je avec l'indifférence des grandes détresses. —Nous serons arrivés dans quatre ou cinq minutes, à l'endroit où se tiennent les chamois, reprit-il.

Un second *ah!* encore plus détaché que le premier des choses de ce monde fut mon unique réponse.

—Et ce qu'il y a de mieux, reprit-il, c'est que, sans que vous vous en doutiez, nous sommes moins éloignés de chez moi que nous ne l'étions il y a une heure et demie.

Pour le coup, cette nouvelle me parut intéressante, et l'heureuse influence qu'elle exerça sur mon esprit me rendit un peu de vigueur.

—Voilà le dernier coup de collier à donner, fit soudain Titano; mais, comme dit le proverbe français, il n'y a rien de plus difficile à écorcher que la queue.

Ces paroles me firent relever la tête, et le spectacle qui s'offrit à mes regards ne fut pas de nature à me réjouir le cœur.

L'espèce de chemin que nous suivions depuis quelques instants à travers mille obstacles, était brusquement interrompu par un monticule de glace presque à pic.

—Eh! quoi! nous faudra-t-il donc escalader cette muraille! demandai-je à Titano avec l'accent d'un profond découragement.—Oui, Excellence, me répondit le vieux braconnier, en tirant de son immense carnassière une courte hache et trois paires de patins, sorte de semelles de bois garnies de crampons d'acier.—Eh bien! franchement, repris-je aussitôt, j'aime mieux ne jamais voir bondir un chamois de ma vie.—Aimez-vous mieux aussi, Excellence, refaire tout le chemin que nous avons déjà fait, pour retourner à ma cabane? Il n'y a que ces deux partis-là à prendre.

Je gardai le silence, mais ma physionomie exprima une consternation si grande, que le bon Titano, que la sensibilité n'étouffait pas cependant, eut l'air presque attendri.

—Tenez, *signor marchese*, me dit-il, ceci n'est effrayant qu'à la vue. Je vais vous tailler là dedans un petit escalier de cristal si coquet, que rien qu'en le voyant vous vous sentirez la force de le monter.—Et après? quand nous serons là-haut?—Quand nous serons là-haut, il y a cent à parier contre un que nous verrons des chamois.—Que le diable emporte les chamois! m'écriai-je impatienté et un peu honteux.—Vous ne me laissez pas le temps d'achever, Excellence; j'allais ajouter qu'il ne nous faudra guère que vingt minutes de marche pour regagner notre gîte. Cela vous va-t-il?—Crois ce qu'il te dit, reprit alors le marquis. J'ai fait une fois cette même tournée avec lui; comme toi je n'en pouvais plus; eh bien! j'ai eu la preuve évidente que le retour par là était quatre fois plus court. — D'ailleurs, continua Titano, si Votre Excellence était tout à fait dans l'impossibilité de marcher, le vieux chasseur a encore les reins assez forts pour la porter une partie du chemin.

L'idée que je pourrais subir cette humiliation me rendit soudainement toute mon énergie morale, et il me sembla en même temps que je me sentais plus vigoureux.

Je remerciai Titano de son dévouement, et je lui dis que j'étais prêt à tout, même à tuer un chamois si l'occasion s'en présentait.

— J'en étais sûr! s'écria-t-il. Maintenant, buvez encore un bon coup de ce ratafia, et attachez solidement à vos pieds ces patins garnis de crampons et de courroies. Pendant ce temps-là, je vous ferai votre escalier. — *Corpo di Bacco!* ajouta-t-il aussitôt en se reprenant, votre chien va nous gêner! je n'avais pas pensé à cela, grand imbécile que je suis! — Mon chien va nous gêner? demandai-je: eh bien! et le vôtre? — Oh! le mien, il n'y a pas à s'en occuper: je vais lui faire signe de s'en aller et il s'en ira. Voyez-vous, les chamois sont les bêtes les plus défiantes de la terre; nous ne pourrons les approcher qu'en nous traînant sur le ventre comme des limaçons, et vous comprenez, Excellence, qu'un chien... — Il a raison, interrompit le marquis. Mais comment faire? je ne vois aucun moyen. — Mon chien restera derrière moi, et il est capable de ramper aussi si je lui en donne l'exemple. — D'accord; mais il est blanc. — Tant mieux, on le verra moins sur la neige. — Là-haut, il n'y en a plus, Excellence. — Ah! diable! — Il me vient une idée! reprit vivement le vieux braconnier, comme s'il était frappé d'une inspiration soudaine, ce qui était vrai effectivement. — Quelle est ton idée, vieux sorcier? demanda le marquis de Nora. — Je couplerai le braque de Son Excellence avec mon épagneul, et ils s'en iront ensemble. — Mon chien ne comprendra pas ce que cela veut dire; il se défendra, prendra de l'humeur, et nous n'en pourrons plus rien faire ensuite. — Torquato lui expliquera l'affaire, *signor marchese*; et quand ils auront causé un moment, ils s'entendront peut-être à merveille. — Soliman ne sait pas le piémontais, dis-je en riant, car je n'envisageais la chose que comme une plaisanterie. — Mais Torquato sait le français, Excellence, répondit le vieux chasseur avec le plus grand sérieux. Comment, sans cela, pourrait-il s'entendre avec les contrebandiers? — Nous pouvons toujours essayer, ajouta le marquis. Si cela ne va pas, nous rendrons la liberté à ton chien avant qu'il ait eu le temps de prendre de l'humeur. — Soit, dis-je, et j'appelai Soliman qui se désaltérait avec de la neige à quelques pas de moi.

Il vint, et Titano tira encore de sa gibecière, qui contenait autant de choses que le chapeau miraculeux de M. Robert Houdin, une couple en poils de sanglier, et en un clin d'œil il eut attaché les deux chiens l'un à l'autre.

Soliman me regarda d'un air profondément étonné; mais, à ma grande surprise, il ne fit aucune résistance: il est vrai que nous n'en étions encore qu'au prologue de la pièce.

Titano laissa s'écouler quelques secondes sans exécuter aucun geste, sans prononcer aucune parole; puis il fit un signe de la main et il dit deux ou trois mots en patois.

Torquato regarda Soliman, et, sur mon honneur, son regard signifiait, à ne pas s'y tromper: *mon cher ami, quand vous voudrez; je suis entièrement à vos ordres.*

Soliman me consulta à son tour d'un coup d'œil.

— Allez! lui dis-je.

Ils partirent, ma foi! tous les deux, à ma profonde stupéfaction. Je les suivis pendant quelques instants du regard, convaincu que l'entente cordiale de ces deux bêtes ne serait pas de longue durée: l'événement ne justifia pas cette crainte: tout en galopant, Soliman tourna une ou deux fois la tête de mon côté, mais ce fut tout.

Titano se mit alors à son escalier, et nous nous occupâmes de chausser nos patins.

En moins de vingt minutes tout était terminé, et ce temps de repos m'avait à peu près remis.

Titano s'attacha une longue corde autour des reins, puis il me dit d'en faire autant; l'extrémité de la corde fut nouée à la ceinture du marquis.

Nous formions ainsi une espèce de chaîne, dont Titano était la tête, moi le centre et Nora la queue.

Alors l'ascension commença.

Elle fut plus effrayante que laborieuse. Deux fois mes pieds mal assurés se dérobèrent sous moi; mais Titano, ferme comme un roc, me remit debout. Le marquis broncha aussi une fois et me fit chanceler, Titano nous retint tous les deux.

Nous atteignîmes ainsi le sommet du glacier en quelques minutes, et nous nous trouvâmes sur un petit plateau gazonné et couvert de buissons épais.

—Maintenant du silence! nous dit Titano à voix basse, pendant que nous nous débarrassions de notre corde et de nos chaussures de bois. Je vais aller à la découverte.

Il se mit à plat ventre et nous le vîmes disparaître dans les buissons, sans faire plus de bruit qu'un serpent qui se coule dans l'herbe.

Au bout d'un quart d'heure il revint, et quatre de ses doigts qu'il leva en l'air avec un regard triomphant, nous annoncèrent qu'il avait vu quatre chamois à portée.

Nous nous couchâmes alors comme lui, rampant à l'aide de la main gauche, et tenant notre fusil de la main droite. Il va sans dire que Titano nous guidait; je le suivais immédiatement.

Il s'arrêta, se souleva sur ses deux genoux, écarta avec précaution quelques broussailles, puis il me fit signe de regarder.

Nous étions sur le bord du plateau, et à deux cents pieds environ au-dessous de nous s'ouvrait une petite vallée, au fond de laquelle broutaient paisiblement quatre chamois.

Un cinquième, debout sur la pointe d'un rocher situé beaucoup plus loin, semblait placé en sentinelle. Ce fut lui que j'aperçus d'abord, car il se détachait sur l'azur du ciel, tandis que ses compagnons se confondaient un peu avec la verdure sombre de la vallée, d'ailleurs un peu envahie déjà par la brume du soir.

—Appuyez votre fusil sur mon épaule, murmura Titano à mon oreille, et envoyez-moi une balle à ce vieux gredin qui marche en tête des trois autres. Je lui garde rancune, car je l'ai manqué déjà deux fois. Je le reconnais parce qu'une de mes balles lui a cassé la corne gauche. Dépêchez-vous! reprit-il vivement, mais toujours aussi bas. La sentinelle nous a éventés; avant trois secondes elle sifflera, et alors, bonsoir, la chasse sera...

J'avais ajusté, je fis feu!

Au moment où mon coup de fusil retentissait, le chamois de garde fit entendre un cri aigu et disparut comme par enchantement: nous nous levâmes tous les trois comme un seul homme.

—Bravo! bravo! *signor marchese!* s'écria Titano en jetant sa coiffure en l'air. Eh bien! êtes-vous encore fatigué?

Trois des chamois avaient fui, je ne sais par où ni comment; mais le quatrième, celui que j'avais ajusté, se débattait dans les convulsions de l'agonie.

Nous nous élançâmes sur une pente d'une rapidité effrayante, mais dont le sol un peu spongieux nous préservait des chutes, et nous fûmes en moins d'une demi-minute auprès du chamois qui rendait le dernier soupir. Ma balle était entrée dans le dos et ressortait sous le ventre, ce qui s'expliquait par la position que j'occupais quand j'avais tiré.

Titano était radieux. Il prit le chamois, le mit en travers sur ses épaules, comme fait le bon pasteur pour la brebis égarée qu'il ramène au bercail, puis nous nous dirigeâmes vers un sentier facile qui serpentait dans la vallée. Il commençait à faire nuit.

Titano ne m'avait pas bercé d'une espérance trompeuse, car nous fûmes rendus à sa cabane beaucoup plus promptement que je n'osais l'espérer; il est vrai que le digne homme eut soin, pour me faire paraître la distance plus courte encore, de se remettre à me conter une foule d'histoires de chasse, toutes plus intéressantes les unes que les autres; enfin, de façon ou d'autre, il fit si bien, qu'en arrivant chez lui j'étais un peu moins fatigué qu'une heure auparavant.

—Eh bien! Excellence, me disait-il tout en cheminant, je vous ai fidèlement tenu tout ce que je vous ai promis. Aussi j'espère que quand vous reviendrez dans notre pays, j'aurai encore votre visite... mais il ne faudra pas trop tarder, reprit-il avec un mélange d'insouciance et de mélancolie, car il n'y aura bientôt plus d'huile dans la lampe.—Bah! fit le marquis, tu nous enterreras tous, pour peu que tu y mettes de l'entêtement: voilà vingt ans que je te connais et que je te vois toujours le même.—C'est que, voyez-vous, Excellence, il y a vingt ans j'étais déjà très-vieux: tenez, c'est justement à cette époque-là que j'ai commencé à oublier mon âge.—Cependant je parie que tu es le moins fatigué de nous trois. — L'habitude, *signor marchese*; mais si je m'arrête une fois, je suis sûr que je tomberai tout à fait. — Écoute, reprit le marquis, je crois que je puis te faire une proposition qui te conviendra. — Votre Excellence sait.... — Pas de phrases: tu te souviens de ce que tu m'as promis? — Un honnête homme n'a que sa parole: à dater de demain je dirai adieu pour toujours à la contrebande. — C'est cela même: eh bien! qui t'empêcherait alors de prendre tout à fait ta retraite et de venir t'établir chez moi. — Quitter mes montagnes, Excellence! Vous êtes bien bon, certainement, mais autant vaudrait me faire conduire tout de suite au cimetière. — Tu reviendras les voir quelquefois. — Ce n'est pas la même chose, Excellence. Je me connais, voyez-vous; il me faut cet air vif, cette solitude, ce silence, et puis surtout ma liberté. — Oh! pour ce qui est de cela, tu l'aurais chez moi aussi complète qu'ici. — Vous ne me gêneriez pas, je le sais bien, *signor marchese*; mais moi je me gênerais, ce qui reviendrait absolument au même. — Tu es un vieux fou! interrompit le marquis avec impatience. — On est toujours fou, Excellence, quand on n'est pas sage à la manière des autres. — Que deviendrais-tu, par exemple, si tu tombais malade? — Mais, Excellence, je ne serai jamais malade. — Tu parlais cependant tout à l'heure de ta fin prochaine. — C'est bien différent....

En ce moment nous arrivions, ce qui mit tout naturellement un terme à cette conversation. J'en fus fâché, car j'aurais été très-curieux d'entendre Titano développer sa théorie sur la possibilité de mourir bien portant.

Nous trouvâmes sur le seuil de la cabane le chasseur du marquis qui nous attendait, et les deux chiens qu'il avait découplés. Ainsi, ces nobles bêtes avaient heureusement fait leur voyage: j'ajouterai que la meilleure intelligence semblait toujours présider à leurs relations. Quant au braque anglais du marquis, qui avait déserté vers le milieu de la chasse, honteux de sa fuite il s'était réfugié à l'écurie près de nos mulets.

Ceux-ci étaient prêts; mais, outre qu'il n'eût pas été prudent de nous engager à cette heure dans les sentiers qui ramenaient à Pignerol, nous avions un grand besoin de repos, le marquis et moi, de telle sorte que nous acceptâmes avec un véritable plaisir l'offre que nous fit le bon Titano de passer encore une nuit sous son toit.

Nous l'engageâmes, à notre tour, à laisser le domestique s'occuper des préparatifs du souper et à venir se reposer avec nous devant le feu; mais il ne voulut pas entendre raison sur ce chapitre, et s'étant seulement débarrassé de son immense carnassière, il se mit à l'œuvre avec la même activité que j'avais déjà admirée la veille, et qui me parut surnaturelle après la fatigue de la journée.

Pendant qu'il allait et venait, souriant, grimaçant, clignant de l'œil et se parlant quelquefois à lui-même, nous ne le perdions pas de vue, le marquis et moi, et nous eûmes l'occasion de nous faire remarquer réciproquement que son chien suivait aussi du regard tous ses mouvements, comme l'eût pu faire un serviteur rempli de zèle et d'affection pour son maître. C'était, en vérité, l'étude la plus curieuse à faire que celle de la sympathie qui semblait unir ces deux êtres, et quand on s'y était livré pendant quelques instants, on se surprenait à se demander sérieusement ce que deviendrait celui des deux qui serait condamné à survivre à l'autre. A coup sûr on est beaucoup moins inquiet de l'avenir quand il s'agit de quelque association de bipèdes; j'en demande pardon à mes semblables.

—Tels que tu les vois, me dit le marquis, je mettrais ma main dans ce brasier que c'est déjà l'affaire de cette nuit qui les met en communication de regards et de pensées.—J'ai vu bien des choses incompréhensibles depuis hier, mais en vérité celle-là serait par trop forte, répondis-je. A la rigueur, je veux bien que ce chien sache que le chant du hibou est le signal du passage d'une troupe de contrebandiers; je comprends aussi, quoique avec plus de peine, qu'il reconnaisse, dans une gardeuse de chèvres, une personne chargée de l'espionner; mais comment veux-tu que j'admette chez un animal la prescience d'un événement que rien n'annonce encore? C'est absolument comme si tu me disais qu'il est capable de lire une lettre.—Tant que tu voudras, mon cher ami; mais je suis à peu près sûr de ce que j'avance. Examine-les avec attention, et trouve-moi à cette conversation muette qui a lieu entre eux une autre raison que celle que je t'ai donnée.—Rien n'est plus facile: Titano prépare notre souper, et Torquato qui a faim lui demande quelque chose.—Si cela était, au lieu de se borner à le suivre du regard, il se tiendrait sur ses talons pour tâcher d'attraper quelque chose: il interroge, mais il ne sollicite pas. Étudie-les tous deux avec attention.

Le hasard voulut qu'en ce moment Titano, en sortant de son bahut un énorme pâté auquel nous avions fait le matin même une brèche profonde, en laissa tomber quelques bribes par terre: c'eût été, à coup sûr, une bonne occasion pour Torquato: cependant il ne bougea pas, et Soliman s'élança seul pour nettoyer la chambre, ce qui fut fait en un clin d'œil.

—Tu vois? me dit le marquis. —C'est ma foi vrai! Titano est un sorcier et son chien est son démon familier. —Vos Excellences sont servies, nous dit le vieux braconnier en nous montrant la table, qui, sans exagération, fléchissait sous le poids de toutes les bonnes et solides choses dont il l'avait couverte.

Nous nous assîmes tous les trois, et Titano se disposa à nous servir, comme il avait déjà fait le matin.

—Écoute, mon vieux, lui dit le marquis, tu as peut-être quelque chose à faire; dans ce cas, il ne faudrait pas te gêner pour nous. Ainsi lorsque tu auras satisfait ton appétit, laisse-nous en compagnie de ces bouteilles et va où le devoir t'appellera. Puisque tu fais encore la contrebande ce soir, fais-la en conscience: seulement, préviens ces gens que tu les obliges pour la dernière fois. —Excellence, le moment n'est pas encore venu, répondit Titano en jetant à la dérobée un coup d'œil sur sa pendule qui marquait huit heures... Et puis, ajouta-t-il, il peut arriver qu'ils ne soient pas exacts ou qu'ils passent ailleurs... —Et alors? —Alors, *signor marchese*, je serai dégagé de la promesse que je leur ai faite, et s'ils réclament mes services pour demain ou un autre jour, je leur ferai savoir qu'ils ne doivent plus compter sur moi. —Tu es un brave homme! s'écria Nora en tendant la main au vieux braconnier; aussi, quand je te quitterai, je serai aussi tranquille que si je t'emmenais avec moi. —Nous nous ennuierons un peu, mon chien et moi, pendant les longues soirées d'hiver; mais je penserai que je fais une chose que vous m'avez demandée, et je me coucherai le cœur content. A votre santé, Excellence; à la vôtre aussi, *signor marchese*, reprit Titano en se tournant de mon côté.

Nous levâmes nos verres pour faire raison à notre hôte; en ce moment, l'épagneul, qui était accroupi devant la cheminée, les yeux toujours attachés sur son maître, se dérangea brusquement et vint poser sa tête sur le bord de la table.

Je lui présentai un morceau de pain *saucé*, mais il ne daigna pas seulement le flairer.

—Ah! ah! fit le braconnier, les drôles seront exacts.

Ces mots étaient à peine prononcés, qu'un chien gratta à la porte de la cabane.

Je crus que c'était le braque anglais du marquis de Nora; mais Titano ayant ouvert, nous vîmes entrer un petit barbet noir de l'aspect le plus misérable: vrai caniche d'aveugle s'il en fut.

—Plus de doute, dit Titano d'un air mécontent. Sur mon honneur je me serais bien passé de cette corvée. —Ils passent donc décidément? demanda le marquis. —Ils veulent passer, Excellence; et ils m'envoient *Mouton* pour me prier de leur faire savoir si le passage est libre. —Et comment le sauras-tu toi-même? —En allant m'en assurer, ce que je vais faire à la minute. —Seras-tu longtemps absent? —Une demi-heure, tout au plus. Mangez doucement, ne buvez pas tout, et je viendrai bientôt trinquer avec vous à la santé de ce pauvre Volenti, qui va être joué sous jambe, tout malin qu'il est. —Sois prudent, mon vieux brave, interrompit avec l'accent d'une vive sollicitude le marquis, qui vit que le braconnier prenait un de ses fusils accrochés au manteau de la cheminée: il serait dur, pour ta dernière campagne... —Ne craignez rien, Excellence. Ce que j'ai à faire est la chose la plus simple du monde. Le passage dangereux n'est qu'à dix minutes d'ici, et n'a guère plus de trois cents pas de long. Je vais me placer à l'entrée; Torquato fera une bonne patrouille aux alentours, et s'il ne découvre rien de suspect il ira prévenir les autres, qui continueront leur route tranquillement. —Alors, pourquoi prends-tu un fusil? —Je ne sors jamais sans cela; mais depuis quinze ans que je fais ce métier, je n'ai jamais eu une seule fois l'occasion de le mettre en joue. A bientôt, Excellence, reprit Titano en se dirigeant vers la porte. —Et le barbet? demandai-je. —Il est parti pour annoncer qu'il m'a trouvé à mon poste; il ne fait jamais de plus longue conversation que cela.

Nous nous étions levés, Nora et moi, pour accompagner notre hôte jusque sur le seuil de sa cabane, et, à la clarté de la lune, qu'aucun nuage ne voilait, nous le vîmes s'engager dans le sentier qui conduisait au fond de la petite vallée que nous avions traversée le matin pour nous mettre en chasse.

—Je crois qu'il a assez de ce métier, dis-je au marquis, et je suis sûr qu'il te sait bon gré de l'avoir engagé à y renoncer. Dieu veuille maintenant que tout aille bien.—Je l'espère, répondit Nora avec préoccupation; mais cependant je voudrais bien que le pauvre diable fût déjà de retour. Ce Volenti est un rusé compère, et il m'a semblé, quand il nous a quittés ce matin, qu'il avait l'air bien triomphant.—Raison de plus, ce me semble, pour supposer qu'il ne savait rien: s'il se fût douté de quelque chose, il ne serait pas venu rôder autour de nous, et il ne nous aurait pas priés de répéter à Titano les avertissements qu'il lui avait donnés hier. Je crois plutôt, au contraire, qu'obligé d'aller en expédition d'un autre côté, il aura voulu effrayer notre vieil ami, afin de l'obliger à rester tranquille cette nuit.—Tu as pardieu raison! s'écria le marquis. C'est là l'unique cause de ses menaces. Maintenant que je suis rassuré, allons nous remettre à table pour prendre patience jusqu'au retour de Titano. Il nous a dit qu'il serait absent environ une demi-heure; la moitié de ce temps est déjà passée.

Tout en causant, nous nous étions un peu éloignés de la maison, que les accidents nombreux du terrain nous avaient cachée pendant quelques secondes seulement: nous fûmes donc assez surpris, le marquis et moi, d'entendre, en nous rapprochant, deux personnes causer dans l'intérieur, où nous n'avions laissé que notre domestique.

Nous hâtâmes le pas sans prononcer une seule parole, mais poussés tous deux par le même pressentiment.

Outre notre domestique, il y avait deux hommes dans la cabane: ces deux hommes étaient le brigadier Volenti et le simple douanier Ravina.

Ils nous saluèrent poliment quand nous entrâmes, et le premier dit au marquis:

—Excellence, je regrette vivement de vous retrouver ici, car mes gens vont sans doute ramener ce vieil entêté de père Titano, qui aura été pris en flagrant délit: j'ai vingt-cinq hommes dispersés dans les environs, et ce serait bien le diable si l'un d'eux ne découvrait pas le *pot aux roses*.—Êtes-vous donc sûr, brigadier, demanda le marquis, qu'une bande de contrebandiers doit passer près d'ici cette nuit?— Parfaitement sûr, Excellence; un des leurs les a vendus depuis hier.— Vous savez que c'est une de leurs ruses habituelles pour se faire surveiller justement dans l'endroit où ils ne passent pas. — Je suis certain du fait, Excellence; et j'en suis fâché, car j'aurais autant aimé ne pas trouver cet homme en faute. — Il ne tient qu'à vous. — Comment cela, Excellence? — En fermant les yeux si on vous le ramène. — Désolé de vous refuser, Excellence; mais c'est impossible. On me dénoncerait comme on a dénoncé le vieux Broschi, mon prédécesseur, et je perdrais ma place. — Écoutez, Volenti, reprit le marquis avec une gravité croissante, Titano m'a donné sa parole d'honneur qu'à dater de demain il n'aurait plus aucune relation avec les contrebandiers: eh bien! si par hasard il était compromis ce soir, faites-lui grâce pour cette fois. — Et si l'on me dénonce, Excellence? — Je me chargerai d'arranger l'affaire directement avec le roi; et j'irai même lui en parler dès demain en passant à Racconigi où il est en ce moment. — Excellence, il ne sera pas dit qu'un soldat piémontais qui a vu le marquis de Nora se battre à Gênes dans le *vingt et un* , lui aura refusé quelque chose; si le vieux Titano est pris, je ne dresserai pas de procès-verbal contre lui... Mais vous comprenez, Excellence, c'est à la condition qu'il ne recommencera plus... — J'en prends l'engagement en son nom. — Cela me suffit. Excellence, excusez-nous de vous avoir dérangé; je vais faire une petite ronde ici aux environs; si, pendant mon absence, qui ne sera pas longue, on amène ici votre protégé, dites-lui ce qui a été convenu entre nous: je ne tarderai pas beaucoup à revenir.

Volenti et Ravina saluèrent respectueusement, puis ils sortirent de la cabane.

— Voilà, Dieu merci! une affaire arrangée! s'écria Nora. Le pauvre Titano l'a échappé belle. Quel bonheur que j'ai eu l'idée de cette chasse. Buvons à la santé de Volenti! — Excellence, voulez-vous remplir mon verre, dit une grosse voix joviale.

Nous nous retournâmes: Titano était debout sur le seuil, secouant ses pieds couverts de rosée.

— Comment, tu n'es pas pris? lui demanda vivement le marquis. — J'ai failli l'être dix fois, Excellence; mais Torquato marchait devant moi et il m'a fait éviter tous les hommes placés en embuscade. A l'heure qu'il est le convoi doit être passé, et une fois dans les grottes de Villetri, tous les douaniers de l'Italie ne trouveraient pas les marchandises. Nous pouvons maintenant finir tranquillement de souper. — Et ton chien? fit le marquis. — Il va revenir tout à l'heure. Il les conduit jusqu'au bout du passage pour plus de sûreté. —Je suis fâché qu'il soit pas revenu avec toi. —Pourquoi cela, Excellence? demanda Titano d'un air sombre et en reposant sa main sur son fusil qu'il venait de remettre à son rang sur le râtelier d'armes. —Parce que si Volenti ou un de ses hommes le rencontrent, ils peuvent... —Le tuer! s'écria Titano. Excellence, je vais à la rencontre de mon vaillant et fidèle Torquato.

Et le fusil fut de nouveau décroché.

—Mon ami, si tu trouves Volenti sur ton chemin, ne te fais pas de mauvaises affaires avec lui, reprit le marquis; il sort d'ici et j'ai sa promesse formelle que si tu étais pris, il ne dresserait pas de procès-verbal contre toi: tu vois donc que c'est un brave homme. —Je ne vous dis pas le contraire, Excellence; mais je vais à la rencontre de mon chien: adieu; c'est l'affaire de quelques minutes, un quart d'heure au plus.

Et il disparut de nouveau.

—Nous restâmes, le marquis et moi, pensifs, silencieux et instinctivement tourmentés: il n'y avait cependant pas de quoi, puisque tout était arrangé.

Soudain nous bondîmes sur nos siéges: deux détonations d'armes à feu avaient retenti coup sur coup à peu de distance, et dans l'une de ces détonations nous avions reconnu le grondement formidable du fusil monstre de Titano.

Nous nous élançâmes dans le petit sentier qui conduisait au fond de la vallée: c'était par là que le brigadier avait disparu et que le vieux braconnier venait aussi de disparaître.

Nous n'avions pas fait deux cents pas, que nous rencontrâmes Titano; mais dans quelle situation!

Le pauvre homme était accroupi dans le sentier et soutenait la tête de son bel épagneul, dont le corps se tordait dans les dernières convulsions de l'agonie.

—Qui a commis cette lâche action! m'écriai-je indigné. —Je ne le sais pas, Excellence, me répondit Titano d'une voix brisée par la douleur; mais si vous êtes curieux de le savoir, faites une quarantaine de pas vers votre gauche, et cherchez dans ces buissons de genévriers. —

Malheureux! tu as tué un homme! s'écria à son tour le marquis. — On a tiré sur mon chien, et moi j'ai fait feu sur l'homme qui avait tiré.

Nous reprîmes notre course, et en quelques enjambées nous arrivâmes dans les genévriers.

Nos premiers pas se heurtèrent contre un homme étendu, dans une complète immobilité, la face contre terre.

Nous nous hâtâmes de le soulever et de le retourner, et à la clarté de la lune nous reconnûmes le brigadier Volenti.

Une balle lui avait traversé la tête; la mort avait dû être instantanée.

Nous laissâmes retomber le cadavre avec horreur, et plongés dans une profonde consternation, nous nous demandâmes, le marquis et moi, ce que nous devions faire après cette terrible catastrophe.

En vérité, nous ne le savions pas; mais ce qui devait infailliblement arriver ne nous paraissait pas douteux: Titano serait arrêté le lendemain, et alors...

Des pas se firent entendre dans différentes directions, et nous vîmes s'approcher des hommes qui nous entourèrent: c'étaient les subordonnés de Volenti, qui, dispersés de côté et d'autre dans la vallée, s'étaient réunis vers le point d'où les coups de fusil venaient de partir.

Ravina porta la parole le premier, pour dire à ses camarades qu'il savait qui avait fait le coup, que ce n'était pas nous, et qu'en conséquence il ne fallait pas nous inquiéter en raison de ce crime, dont l'auteur serait entre leurs mains dans quelques minutes.

Quatre de ces hommes chargèrent sur leurs épaules le corps du malheureux brigadier, et escortant ce triste convoi, nous nous remîmes en chemin pour regagner la cabane de Titano.

Comme nous allions en franchir le seuil, nous fûmes rejoints par Titano lui-même. Le pauvre homme portait dans ses bras le cadavre de son chien.

— Titano, vous êtes notre prisonnier, lui dit Ravina. Vous serez gardé à vue cette nuit, et demain, dès le point du jour, nous vous conduirons dans la prison de Pignerol. Vous avez tué un homme qui avait promis de vous épargner.—Il n'a pas épargné mon chien, murmura le vieux braconnier d'une voix sombre.

Après avoir prononcé ces paroles, il s'assit par terre devant le feu, posa son chien en travers sur ses genoux, et resta immobile, les deux mains appuyées sur le flanc du bel épagneul.

Le corps du brigadier fut étendu dans un coin de la cabane et recouvert de son manteau; quant aux douaniers, ils se mirent paisiblement à table et achevèrent lentement notre souper; après quoi ils se couchèrent sur le carreau.

Brisés de fatigue et d'émotions, certains en outre que nous ne pourrions, pour le moment, être d'aucune utilité à Titano, nous nous décidâmes, le marquis et moi, à nous coucher aussi, en nous promettant mutuellement que le premier éveillé appellerait l'autre, afin d'être prêts tous les deux avant le jour.

Nous voulions accompagner Titano jusqu'à Pignerol, et de là nous rendre à Racconigi auprès du roi pour demander la grâce du coupable.

Nous dormîmes peu et mal: longtemps avant le jour nous étions sur pied; une lampe mourante éclairait faiblement la chambre.

Un silence profond régnait dans la cabane; on n'entendait au dehors que le pas régulier du douanier placé en faction à la porte.

Titano était exactement à la même place et dans la même position que la veille: sa tête penchée sur sa poitrine, ses deux mains appuyées sur le corps de son chien.

—Dieu soit loué, me dit le marquis à voix basse, il aura pu oublier son chagrin pendant quelques heures.

Un soupçon rapide comme l'éclair traversa mon cerveau: je pris la lampe dont je ranimai passagèrement la flamme en tirant la mèche, et je dirigeai la lumière, par-dessous, sur le visage du vieux braconnier.

—Ce n'est pas pendant quelques heures qu'il a oublié son chagrin, m'écriai-je: c'est pour toujours!

—Que dis-tu là?

—Qu'il est mort!

—Mort!

—Regarde toi-même.

—C'est, ma foi, vrai! Eh bien! c'est ce qui pouvait lui arriver de plus heureux, puisqu'il avait perdu tout ce qu'il aimait dans ce monde.

Nous pensons que nos lecteurs seront de cet avis.

FIN

Milton Keynes UK
Ingram Content Group UK Ltd.
UKHW051030130923
428592UK00009B/353